O Brasil tem jeito?

ARTHUR ITUASSU E
RODRIGO DE ALMEIDA (orgs.)

O Brasil tem jeito?

Vol.2: Educação, saúde, justiça e segurança

Textos de:

ADIB D. JATENE
DALMO DALLARI
LUIZ EDUARDO SOARES E MIRIAM GUINDANI
MARIA HELENA GUIMARÃES DE CASTRO
ROBERTO POMPEU DE TOLEDO
VILLAS-BÔAS CORRÊA

ZAHAR
Jorge Zahar Editor
Rio de Janeiro

Jorge Zahar Editor Ltda.
rua México 31 sobreloja
20031-144 Rio de Janeiro, RJ
tel.: (21) 2108-0808 / fax: (21) 2108-0800
e-mail: jze@zahar.com.br
site: www.zahar.com.br

Capa: Sérgio Campante

CIP-Brasil. Catalogação-na-fonte
Sindicato Nacional dos Editores de Livros, RJ.

B83 O Brasil tem jeito?, volume 2: educação, saúde, justiça e segurança / organizado
v.2 por Arthur Ituassu e Rodrigo de Almeida; textos de Adib D. Jatene... [et al.]. — Rio de Janeiro: Jorge Zahar Ed., 2007.

ISBN 978-85-378-0035-5

1. Brasil – Política e governo. 2. Despesa pública – Política governamental – Brasil. 3. Brasil – Condições econômicas. 4. Brasil – Política econômica. 5. Política e educação – Brasil. 6. Saúde pública – Brasil. 7. Justiça – Brasil. 8. Segurança pública – Brasil. I. Ituassu, Arthur. II. Almeida, Rodrigo.

CDD: 320.981
07-3179 CDU: 32(81)

Sumário

Os autores

Adib Domingos Jatene

Graduado em medicina em 1953, na Faculdade de Medicina da Universidade de São Paulo, é diretor-geral do Hospital do Coração da Associação do Sanatório Sírio desde 1977. É sócio fundador e primeiro presidente da Sociedade de Cardiologia do estado de São Paulo (1977-79). Foi secretário da Saúde do estado de São Paulo, de março de 1979 a maio de 1982. Até março de 1983, foi presidente da Comissão Especial para a Implantação do sistema de Atendimento Básico na Área Metropolitana de São Paulo, cujo plano foi por ele elaborado e cuja execução teve início durante sua gestão na Secretaria de Estado da Saúde. Membro fundador e primeiro presidente do Conselho Nacional de Secretários da Saúde (Conass). Foi presidente do Departamento de Cirurgia Cardiovascular da Sociedade Brasileira de Cardiologia entre 1981-85. Eleito em 1984 *Honorary Member* da American Association for Thoracic Surgery. Sócio fundador e primeiro presidente da Sociedade Brasileira de Cirurgia Cardiovascular. Foi presidente da Sociedade Brasileira de Cardiologia (1985-87), presidente da International Society for Cardiovascular Surgery (1985-87). Foi membro da Comissão de Especialistas do Ensino Médico do Ministério da Educação (1986-90), membro do Conselho Nacional de Saúde (1986-92), membro do Conselho Regional de Medicina do Estado de São Paulo (1988-92). Em maio de 1989 foi eleito membro titular da Academia Nacional de Medicina. Em outubro de 1990 foi eleito diretor da Faculdade de Medicina da Universidade de São Paulo, para período de 4 anos. Membro do Conselho Nacional de

Seguridade Social e do Conselho Federal de Educação, foi ministro de Estado da Saúde por 8 meses no governo Collor e por 22 meses no governo Fernando Henrique. Em 1998, foi eleito *Honorary Fellow* da American Surgical Association. No mesmo ano, foi eleito *Honorary Fellowship* do American College of Surgeons e foi admitido na Ordem Nacional do Mérito Científico, na classe Grã-Cruz. É autor e co-autor de cerca de 700 trabalhos científicos publicados na literatura nacional e internacional, membro de 32 sociedades científicas de várias regiões do mundo e recebeu 178 títulos e honrarias de mais de 10 países.

ARTHUR ITUASSU

Jornalista e professor na PUC-Rio, nos departamentos de Engenharia Industrial e de Comunicação Social. Editor na Jorge Zahar Editor e autor em openDemocracy (www.opendemocracy.net). É mestre e candidato a doutor em relações internacionais pelo Instituto de Relações Internacionais da PUC-Rio, com passagens pela London School of Economics and Political Science e pela Universidade da Carolina do Sul, nesta como Fulbright *visiting scholar*.

DALMO DALLARI

Professor emérito e ex-diretor da Faculdade de Direito da Universidade de São Paulo. Professor visitante da Universidade de Paris X – Nanterre. Membro honorário da Comissão Internacional de Juristas – Genebra, Suíça. Membro do Conselho Nacional de Defesa dos Direitos da Pessoa Humana. Membro da Comissão Nacional sobre Determinantes Sociais da Saúde. Membro do Comitê Temático de Bioética do Conselho Nacional de Pesquisas (CNPQ). Ex-conselheiro da Ordem dos Advogados do Brasil. Membro honorário da Associação dos Advogados de São Paulo. Ex-presidente da Comissão Justiça e Paz de São Paulo. Membro emérito da Associação dos Magistrados e Promotores de Justiça da Infância, Juventude e Família do estado do Paraná. Autor de vários livros, entre eles: *Direitos humanos e cidadania*, *O poder dos juízes*, *Elementos da teoria geral do Estado*, *O futuro do Estado*, *O direito da criança ao respeito*, *O que é participação política*, *O que são direitos da pessoa*, *O renascer do direito* e *O Estado federal*.

Luiz Eduardo Soares

Secretário Municipal de Valorização da Vida e Prevenção da Violência de Nova Iguaçu (RJ), é professor da ESPM – Escola Superior de Propaganda e Marketing (Rio de Janeiro) –, na área de relações internacionais, e professor licenciado da Universidade do Estado do Rio de Janeiro (Uerj). Mestre em antropologia social, doutor em ciência política, com pós-doutorado em filosofia política, foi professor do Iuperj, da Ucam e da Unicamp, pesquisador do Iser, pesquisador visitante do Vera Institute of Justice, de Nova York, e professor visitante da Universidade Columbia, Universidade da Virgínia e Universidade de Pittsburgh. Foi secretário Nacional de Segurança Pública (entre janeiro e outubro de 2003); subsecretário de Segurança e coordenador de Segurança, Justiça e Cidadania do estado do Rio de Janeiro (entre janeiro de 1999 e março de 2000); consultor da Prefeitura de Porto Alegre, responsável pelo plano municipal de segurança dessa cidade e pela implantação do projeto piloto (em 2001). Seus últimos livros são: *Meu casaco de general: 500 dias no front da segurança pública do estado do Rio de Janeiro*; *Cabeça de porco*, com MV Bill e Celso Athayde; *Elite da tropa*, com André Batista e Rodrigo Pimentel; *Legalidade libertária*; e *Segurança tem saída*.

Maria Helena Guimarães de Castro

Secretária estadual de Educação de São Paulo, é professora da Unicamp e pesquisadora-associada do Núcleo de Políticas Públicas/Nepp/Unicamp. Foi presidente do Instituto Nacional de Estudos e Pesquisas Educacionais (Inep), de 1995 a 2001, e secretária-executiva do Ministério da Educação em 2002. Foi também secretária estadual de Desenvolvimento Social (2003-6) e secretária estadual de Ciência e Tecnologia, ambos os cargos também em São Paulo.

Miriam Guindani

Professora adjunta da Escola de Serviço Social da UFRJ e diretora de Divisão da Pró-Reitoria de Extensão da UFRJ. Doutora em Serviço Social e pesquisadora do campo da justiça criminal, nas áreas da criminologia, política criminal e direitos humanos. Ex-diretora do Centro de Observação Criminológica da Secretaria da Justiça e Segurança do Rio Grande do Sul.

ROBERTO POMPEU DE TOLEDO
Jornalista e escritor, trabalhou em alguns dos principais órgãos de imprensa do país. Desde 1991 mantém uma coluna na revista *Veja*. É autor de *A Capital da Solidão – uma história de São Paulo das origens a 1900* (2003) e de *Leda* (romance, 2006).

RODRIGO DE ALMEIDA
Jornalista graduado na Universidade Federal do Ceará, é mestre em ciência política pela Universidade Federal do Rio de Janeiro e candidato a doutor em ciência política no Instituto Universitário de Pesquisas do Rio de Janeiro (Iuperj). Pesquisador do Núcleo de Estudos do Empresariado, Instituições e Capitalismo (NEIC/Iuperj), onde desenvolve pesquisa sobre estratégias de desenvolvimento, BNDES e governo Lula, foi *visiting scholar* da New School for Social Research, de Nova York. Foi também editor de Opinião, editorialista, colunista e editor do caderno Idéias & Livros do *Jornal do Brasil*. Atualmente, é editor convidado da revista *Inteligência*.

VILLAS-BÔAS CORRÊA
Iniciou sua carreira como jornalista político em *A Notícia*, em 1948. Trabalhou no *Diário de Notícias*, na Rádio Nacional e em diversas emissoras de TV. Durante 23 anos, atuou na sucursal do Rio de Janeiro do jornal *O Estado de S. Paulo*, primeiramente como chefe da seção política e, mais tarde, como diretor da sucursal. Foi fundador de *O Dia*, onde esteve até se aposentar em 1988. Em 1999, voltou à redação no *Jornal do Brasil*, como editor de política. Neste mesmo jornal, assina atualmente três artigos semanais. Foi também comentarista político da TV Manchete. Em 2002, publicou o livro *Conversa com a memória*, com as lembranças de mais de meio século como repórter político.

Arthur Ituassu e
Rodrigo de Almeida

Introdução

A agenda dos bens públicos

No fim de semana de 14 e 15 de abril de 2007, os jornais brasileiros trataram de dois assuntos no mínimo bastante díspares: a morte do office-boy Hélio José da Silva Ezequiel e os impactos que a elevação do Brasil ao nível de *investment grade* pelas agências internacionais de *rating* poderiam gerar à economia do país.

Hélio José da Silva Ezequiel, de 25 anos, foi morto no morro dos Macacos, no Rio de Janeiro, quando voltava da Maternidade Carmela Dutra, onde fora visitar o seu sétimo filho, uma menina, que acabara de nascer. No caminho, ele levou três tiros: dois nas costas e um no queixo. Sem antecedentes criminais, a polícia supôs que Hélio fora confundido com um traficante por uma gangue que invadia o morro. Ele era irmão de Edna Ezequiel, de 32 anos, que 43 dias antes vira sua filha, Alana, de 13 anos, morrer na mesma região, vítima de uma bala perdida.

"Isso não é vida, pelo amor de Deus! Se a gente pudesse sair daqui, iria para qualquer lugar. Minha família não dá mais conta de tanta violência. Eu tenho cinco filhos para criar. Agora, vou ajudar minha cunhada na criação de outros sete", afirmou Edna ao repórter Túlio Brandão, de *O Globo*.[1]

A notícia também foi capa da edição da *Folha de S. Paulo* que chegou ao Rio no sábado, 14 de abril. Mas, no dia seguinte, o tema que ocupou várias páginas do jornal paulista foi a possibilidade de as agências internacionais de *rating* elevarem o Brasil à posição de *investment grade*.

O jornal relatou uma perspectiva de grande alvoroço no mercado brasileiro. Apesar de o Brasil ter, naquele momento, um baixo histórico recente de crescimento, um baixo índice de investimento na economia – 16,8% em 2006 – e problemas sociais gritantes representados especialmente pelos casos de violência que assolam as grandes cidades brasileiras, as exportações continuavam bem e o real apreciado proporcionara um aumento significativo das reservas cambiais.

Nesse sentido, tanto o saldo positivo nas transações correntes do país com o mundo quanto o colchão das reservas – acima dos US$ 100 bilhões –, bem como o controle pontual das contas públicas pelo mecanismo do superávit primário, abriam caminho para uma percepção desanuviada de crise cambial e para o carimbo de *investment grade* das agências internacionais de *rating*, diminuindo a percepção de risco de se investir no país. A elevação da classificação do Brasil é importante porque possibilita o acesso ao mercado brasileiro de uma série de fundos gigantes de aposentadoria da Europa e dos Estados Unidos, impedidos em sua própria legislação de comprar ativos em ambientes de alto risco. Ou seja, a economia brasileira, com o *investment grade*, se tornaria disponível a um potencial de novos US$ 10 trilhões, como noticiou a *Folha*.[2]

Dois fatos, dois Brasis. Como de hábito, o país exibe feições múltiplas, paradoxais, contraditórias. A enorme disparidade entre a realidade da família Ezequiel, no morro dos Macacos, e a saúde da economia brasileira é clara. No terreno dos números, isso se traduz na absurda concentração de renda com a qual o país convive há décadas – entre as piores do planeta.

Com dados do Instituto de Pesquisa Econômica Aplicada (Ipea) para o ano de 2004, percebe-se o grave problema da divisão econômica interna do país. Naquele ano, o Brasil contabilizou tragicamente 59,43 milhões de pessoas na pobreza, algo em torno de 33% da população, e 23,24 milhões (13,13% da população) na indigência. No mesmo ano, a parcela 1% mais rica reteve 12,96% da renda, enquanto a 50% mais pobre dividiu 13,85% – o que significa que metade da população dividia até pouco tempo praticamente o mesmo que o grupo 1% mais rico do país.

No Brasil de 2005, em termos de renda domiciliar, os 10% mais ricos da população retinham quase 50% da renda (45,31%). Na Espanha, por exemplo, a título de comparação, os 20% mais ricos retêm 40% da renda, cinco pontos percentuais a menos que os 10% no topo da escala social brasileira. Não à toa, o coeficiente de Gini* brasileiro de 2005 ficou em 0.569, entre os piores do mundo. De fato, 95% das nações possuem índices de desigualdade de renda melhores que o do Brasil.

Ainda em termos domiciliares, e segundo o Ipea com base em ampla pesquisa do IBGE, o grupo das famílias brasileiras entre as 50% mais pobres teve rendimento per capita médio** de R$ 110,74 em 2004, enquanto as 10% mais ricas usufruíram um mesmo rendimento 10 vezes maior, de R$ 1.774,27. Isso significa que qualquer família que tenha rendimento per capita de R$ 1.800,00 está no grupo das 10% mais ricas do país. O conjunto das famílias 1% mais ricas, note-se, teve rendimento médio de R$ 5.047,16.[3]

Esse é um problema trágico e vergonhoso, mas nada recente. Analisando os graus de concentração de renda de vários países em 1994, ou seja, há mais de dez anos, o historiador Eric Hobsbawm ressaltou que nas sociedades mais desiguais das ricas economias de mercado desenvolvidas – Austrália, Nova Zelândia, Estados Unidos e Suíça – os 20% mais ricos recebiam em média entre oito e dez

---

* Índice que mede a desigualdade de renda. Quanto mais próximo de 1 o coeficiente estiver, mais desigual esta economia será.

** Definido como o quociente entre o rendimento domiciliar e o número de pessoas residentes, excluindo pensionistas, empregados domésticos e parentes de empregados domésticos.

vezes mais que o quinto da base, e os 10% de cima retinham entre 20% e 25% da renda.

Hobsbawm, na mesma obra, o clássico *Era dos extremos*, chamou a atenção ainda para nações com níveis de desigualdade ainda maiores que aqueles das sociedades ricas mais desiguais. Os exemplos dados foram Filipinas, Malásia, Peru, Jamaica e Venezuela, onde os 10% mais ricos levavam, em 1994, em torno de um terço da renda (aproximadamente 33%). Na Guatemala, no México, no Sri Lanka e em Botsuana, os mesmos 10% mais ricos retinham 40% da renda nesse mesmo ano. Há mais de dez anos do momento em que este livro está sendo publicado, só depois de todos esses países citados anteriormente é que Hobsbawm descreveu a situação brasileira, citando dados da ONU para o ano de 1991 e 1992:

> Para não falar do *candidato a campeão mundial de desigualdade econômica*, o Brasil. Nesse *monumento de injustiça social*, os 20% mais pobres da população dividiam entre si 2,5% da renda total da nação, enquanto os 20% mais ricos ficavam com quase dois terços dessa renda. [grifo nosso]

De lá para cá a situação melhorou, mas pouco, e o país está, mesmo hoje, longe de deixar o rol dos campeões mundiais de desigualdade econômica. Ao mesmo tempo, vale perceber que a porção da renda retida pela autoridade pública no Brasil só vem aumentando – apesar do caminho notoriamente mais liberal que o país adotou desde o Plano Real. Desde 1994, por exemplo, a carga tributária brasileira cresceu quase dez pontos percentuais em dez anos, passando de 28,61%, em 1994, para 36,74% do PIB, em 2004.[4] Em 2005, o índice ficou em 37,37%. Em 2007, o IBGE revisou a contabilidade do PIB, o que puxou para baixo a porcentagem adquirida pelo setor público. Mesmo assim, números divulgados pela Receita Federal em agosto de 2007, com base já na nova contabilidade, mostraram uma carga tributária recorde de 34,23% do PIB em 2006.[5]

Gráfico 1. Carga tributária (em relação ao PIB)

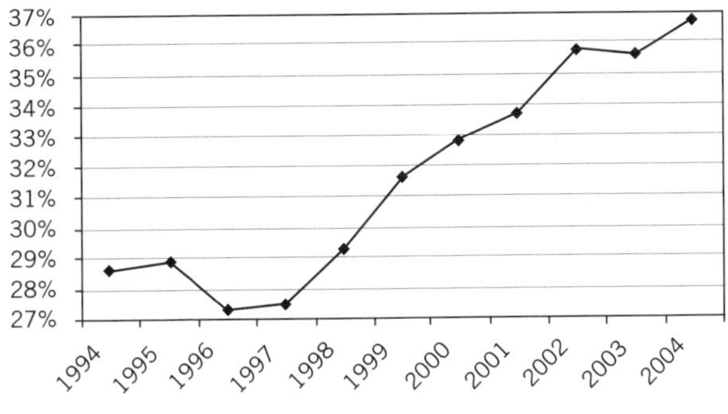

Fonte: Ipea.

Novamente a título de comparação, vale ressaltar outros países que, segundo dados da Organização para a Cooperação e o Desenvolvimento Econômico (OCDE), orbitam na faixa dos 30-40% do PIB em arrecadação tributária: Austrália (31,5%), Nova Zelândia (35,1%), Suíça (35,7%), Canadá (35,8%), Reino Unido (37,4%), Alemanha (37,9%) e Noruega (40,3%). Países que estão muito longe de serem conhecidos pelas suas mazelas sociais.

Mesmo no que diz respeito somente aos gastos públicos do governo federal, o montante também só vem aumentando. Em valores atualizados pelo IPCA, como dados do Tesouro Nacional, da Receita Federal e do Banco Central, o incremento é de 32,5% entre 2002 e 2006, passando de R$ 311 bilhões para R$ 412 bilhões no período. Vale notar que, no mesmo intervalo, ainda mais subiram os gastos com pessoal, 44,4%, passando de R$ 95,2 bilhões, em 2002, para R$ 108 bilhões, em 2006.[6]

A situação brasileira no fim da primeira década do século XXI é absolutamente esquizofrênica. O Brasil paga impostos como um país desenvolvido, mas a sociedade brasileira vive em meio a um grau de desigualdade de renda exorbitante, em meio à violência gritante nas grandes cidades e no campo, a um regime discriminatório e corrupto no âmbito da justiça, a um sistema precário de saneamento básico e atendimento médico, e a uma estrutura educacional pública de primeiro e segundo graus de baixíssima qualidade, com professores mal pagos, métodos de ensino de eficiência duvidosa e instalações deficientes.

Para os organizadores desta obra, a alta proporção da renda arrecadada pela autoridade pública em seus três níveis e a tamanha injustiça social do país são duas faces da mesma moeda e só podem levar o debate sobre a ordem pública e a agenda política brasileira a um lugar só: a alocação dos recursos públicos. É na alocação dos recursos públicos que está a origem da tragédia nacional.

Nesse sentido, é notório perceber que a sociedade brasileira não tem à sua disposição um bem público sequer – aqueles que podem ser mais bem fornecidos pelo Estado –, seja educação básica gratuita e universal de qualidade; saúde pública gratuita e universal também de qualidade; acesso à justiça eficiente, barato, rápido e universal; ou quiçá segurança pública. Para os organizadores, essa combinação de altos impostos e falta de bens públicos não se faz à toa. Na verdade, é o cerne do problema.

De alguma forma, suspeitamos que tamanha injustiça social no país advém exatamente de uma distribuição não-pública da alta parcela da renda absorvida pela autoridade – novamente, nos seus três níveis. Distribuição esta que se torna muito bem representada pela ausência completa de qualquer bem público na vida social brasileira.

Dessa forma, a questão é menos o volume da renda absorvida pelo Estado e mais a natureza da sua alocação. Ora, um país pode optar politicamente por uma carga tributária mais alta que a média. O que prioritariamente não pode é que esta seja consumida sem a geração de qualquer benefício universal e igualitário à sociedade.

Às vezes, a questão nem mesmo é primordialmente de escassez de recursos. O Brasil gasta em educação algo em torno de 4,3% do PIB, próximo da média da OCDE, e mais que países com sistemas de educação melhores que os nossos, como Uruguai, Chile e Argentina.[7] Gastamos muito, no entanto, com as universidades ditas públicas, onde 55% dos estudantes pertencem à classe dos 20% mais ricos do país, e apenas 7,9% dos alunos estão entre os 40% mais pobres – uma lógica que se repete em muitos setores da vida social brasileira e que precisa ser transformada. Um relatório divulgado pela mesma OCDE, em 2000, mostra que o Brasil é um dos que menos investem no ensino fundamental e um dos que mais gastam com o ensino superior, entre 32 países ricos e em desenvolvimento estudados.[8]

Em geral, trata-se, sim, de um problema de alocação de recursos, de estabelecer prioridades com o dinheiro público gasto. Um estudo do deputado federal amazonense Pauderney Avelino, por exemplo, publicado em 2005, é bastante claro nas prioridades que o país vem tomando. Segundo o relatório, de 1995 a 2004, quatro grandes contas determinaram os gastos do governo brasileiro: juros, previdência, salários da burocracia e o custo do funcionamento da máquina pública, que inclui desde viagens, contas de luz ao famoso cafezinho na pausa do expediente.

Se normalmente há uma ampla preocupação com a conta dos juros, os números do relatório produzido na Câmara dos Deputados mostram que a realidade é um pouco mais complexa. Durante o período analisado, o governo federal gastou R$ 725 bilhões com o pagamento de juros, mas R$ 2,78 trilhões com o funcionamento da máquina pública, R$ 1,07 trilhão com os salários da burocracia e R$ 1,2 trilhão com a Previdência Social.

Vale perceber que o gasto total com as quatro contas citadas somou, nos dez anos entre 1995 e 2004, R$ 5,78 trilhões. Ou seja, seis vezes mais que o total (R$ 884 bilhões) executado no mesmo período com educação, saúde, segurança e infra-estrutura, tudo junto.

Tais evidências não significam ignorar os avanços constatados nas áreas aqui radiografadas. O que importa dizer, no entanto, é que, se chegamos a avançar, foi muito pouco diante dos enormes abismos que nos distanciam da oferta de bens públicos instituídos. Se o país alcançou a quase completa universalização do ensino, falhou na prova da qualidade. Se programas de saúde pública permitiram ao Brasil ter hoje a menor quantidade de leitos hospitalares já registrados nas últimas três décadas, ao mesmo tempo em que há um aumento crescente do total de internações realizadas – prova de uma melhor gestão da saúde, capaz de reduzir o tempo de internação de pacientes, de uma melhoria na eficiência médica e sinal de expansão da atenção básica aos pacientes –, milhares de brasileiros pobres ainda se engalfinham nas filas dos hospitais e postos de saúde públicos, unidades onde faltam médicos, remédios e aparelhos.

Há mais. Se é crescente a utilização de recursos institucionais inovadores, como a ação civil pública e a ação popular, o cidadão brasileiro ainda se perde no cipoal de instâncias, recursos e entraves processuais que atormentam os caminhos trilhados pela maioria dos processos em curso nos prédios faraônicos dos tribunais – para não dizer do tratamento desigual conferido pelo peso da classe social a que pertença quem está interessado em justiça. No Brasil, a impunidade é a pedra de salvação para criminosos ricos e influentes.

E assim a vida segue. A população brasileira não teve em qualquer período de sua história política e não tem ainda hoje qualquer bem público em um nível mínimo satisfatório de qualidade à disposição. Para nós, organizadores desta obra, o problema está, em grande parte, no gerenciamento dos recursos disponíveis feito pela autoridade pública. Não se trata de defender aqui uma menor ou maior participação do Estado na economia. Muitas vezes, no Brasil, perde-se tempo e consenso numa discussão sem fim entre os que defendem uma maior ou menor participação do poder público na gestão do mercado. Nós, os organizadores, defendemos que há um problema mais urgente que não está ao alcance dessa discussão. Algo que muitas vezes obscurece, aliena e desvia a política de duas questões mais graves, absolutamente interligadas e prioritárias: a absurda situação social brasileira e a completa falta de oferta de bens públicos no país, questões estas tornadas ainda mais radicais quando contrapostas aos níveis de arrecadação e execução orçamentária de que dispomos.

Nenhuma comunidade política pode viver em paz sem a provisão de bens públicos. Esta é uma premissa clássica da vida ao redor de uma autoridade pública, fragmentada em seus vários níveis. De fato, esse é o princípio original da organização social na vida moderna.

Basta lembrar o legalista britânico Thomas Hobbes. Não é preciso ser um especialista em ciência política para perceber que o autor de *Leviatã*, publicado em 1651, se utilizou de uma grande ficção – a do homem no estado de natureza – para estabelecer a origem da autoridade moderna. Na representação hobbesiana, o cidadão abre mão de uma parte de sua liberdade – total no estado de natureza – em prol dessa autoridade, para receber em troca a segurança garantida pela lei na vida em comunidade, lei esta representada pelo Leviatã.

Nesse sentido, a segurança é a pedra fundamental dos bens públicos e requisito básico para a vida moderna em uma comunidade política. Outros bens públicos, como a justiça e, especialmente, a saúde e a educação básica, são frutos das revoluções libertárias da modernidade, como a Americana, de 1776, e a Francesa, de 1789, bem como do desenvolvimento social da política, em especial na Europa, em contraposição aos avanços do sistema capitalista de produção.

Uma comunidade sem bens públicos, de fato, ainda não se tornou política. Ao mesmo tempo, nesse contexto negativo, a relação entre a autoridade e a sociedade não se concretizou a ponto de garantir legitimidade e estabilidade às instituições. Sem bens públicos não há nada concreto de comum que consolide a vida em comunidade – a não ser a ficção do nacionalismo imposto pelo patriotismo enganoso, pelas novelas, pela seleção de futebol ou pela repressão. Bens públicos garantem o respeito às leis, a legitimidade da autoridade, a estabilidade social, institucional e a perenidade do ordenamento jurídico. Garante a previsibilidade do funcionamento social, institucional e político, e também, por conseguinte, o ambiente propício para o investimento econômico de longo prazo.

Além disso, a própria noção da coisa pública (*res publica*) advém da geração de bens públicos. Sem bens públicos a sacralidade da coisa pública se esvazia, propiciando o seu uso privado – o que os economistas chamam de *rent seeking* – e a corrupção. Como mostra uma pesquisa do Banco Mundial divulgada em julho de 2007 pelo jornalista Merval Pereira – colaborador do primeiro volume de *O Brasil tem jeito?* –, o país vem de fato piorando ao longo dos anos no que diz respeito à corrupção política. Numa escala de zero a 100 que mede o controle da corrupção, o Brasil atingiu o índice de 47,1, sete anos depois de ter sido avaliado com 59,1 (em 2000). Merval compara, por exemplo, o grau brasileiro com o chileno, que está acima de 90. Para a confiabilidade da política e dos tribunais, o Brasil "chegou ao patamar mais baixo desde que se faz a medida, há dez anos: 41,4".[9]

É nesse sentido que este segundo volume da obra *O Brasil tem jeito?* procura se concentrar nos quatro bens públicos básicos que podem contribuir para uma real constituição da vida em comunidade no país: educação básica, saúde pública, justiça e segurança pública. Depois dos consensos atingidos pelo país em torno da democracia e da estabilidade econômica, urge o momento de a sociedade brasileira se unir em torno de quatro metas fundamentais para a estabilidade social (e econômica) do país, procurando cobrar da política e dos políticos para que a autoridade pública, em todos os seus níveis – municipal, estadual e federal –, independentemente das competências instituídas, estabeleça tais prioridades na alocação de esforços, mão-de-obra e recursos como programa obrigatório de governo. As quatro metas são: (1) a consolidação de um sistema de ensino básico universal, gratuito e de qualidade; (2) o real estabelecimento de uma rede de saúde pública gratuita, universal e de qualidade; (3) a geração de um ordenamento jurídico rápido, eficiente, de acesso fácil e barato, e que garanta o cumprimento universal das leis; e (4) a implementação de um corpo de segurança pública eficiente e respeitoso para com o cidadão e as leis.

A velha desculpa da competência das autoridades em seus diferentes níveis não serve mais. Se for preciso, que se rediscutam as competências. É disto que o Brasil precisa: educação básica, saúde, justiça e segurança. É isso, pelo menos isso, que a autoridade pública, em todos os seus níveis, deveria estar provendo à sociedade brasileira.

Todos os esforços devem estar concentrados na geração desses quatro bens públicos, sem os quais nenhuma comunidade política se constitui, ou sobrevive. Alarmante é pensar que, em um país que está entre as maiores economias do mundo, nenhum desses bens públicos está plenamente à disposição da sociedade, mesmo quando a autoridade pública arrecada quase 40% de toda a renda gerada. Há algo de muito errado nessa situação, e é preciso repensar o papel da autoridade pública no Brasil, sob pena de estendermos eternamente a condição de país das distâncias entre as palavras e os atos, entre a lei e a realidade, entre as promessas e os direitos.

Tudo isso não significa dizer que o Estado deverá eternamente estar proibido de exercer outras atividades. Significa apenas, por ora, afirmar que a viabilização de bens públicos efetivos à sociedade brasileira é hoje a necessidade mais urgente da população e da própria constituição da nação como uma comunidade política, necessidade esta que não é de forma alguma contemplada.

Não é por outra razão que conceitos-chave como republicanismo e cidadania são tão repetidos no debate público quanto desconhecidos os seus significados pela maioria da população. Novamente se tem aí uma esfera pública de contrastes, em que o alto nível de participação eleitoral se contrapõe à incapacidade da maioria de mencionar plenamente os seus direitos políticos. Tais conceitos devem ser revistos ou, o mais adequado, que se trabalhe para efetivá-los na vida política, social e institucional do país.

No sentido de priorizar e privilegiar, no campo da autoridade, a provisão de bens públicos à sociedade brasileira, os organizadores desta obra chamaram especialistas reconhecidos para cada uma das áreas aqui analisadas.

Maria Helena Guimarães de Castro ficou com a responsabilidade de dissecar os problemas da educação brasileira. Ela é professora da Universidade Estadual de Campinas (Unicamp), pesquisadora-associada do Núcleo de Políticas Públicas/NEPP/Unicamp e secretária estadual de Educação de São Paulo. Maria Helena tem larga experiência na gestão educacional, com passagens pela presidência do Instituto Nacional de Estudos e Pesquisas Educacionais (Inep) e pela Secretaria-Executiva do Ministério da Educação, entre outras funções públicas.

O doutor Adib Domingos Jatene colocou o sistema de saúde do país para dentro do seu consultório e rabiscou receitas claras e objetivas. Jatene foi ministro da Saúde por oito meses no governo do presidente Fernando Collor de Mello e por 22 meses no governo do presidente Fernando Henrique Cardoso. Profissional respeitado internacionalmente como poucos no país, Jatene foi diretor e professor da Faculdade de Medicina da Universidade de São Paulo (USP).

Dalmo Dallari foi o escolhido para tratar dos temas relativos à justiça, em especial no que diz respeito ao problema da universalização do acesso e do tratamento igualitário. Com mais de 20 livros publicados e passagem pela Prefeitura de São Paulo, na gestão da prefeita Luiza Erundina, Dalmo Dallari é professor emérito da Faculdade de Direito da USP.

Luiz Eduardo Soares e Miriam Guindani são nomes de peso na área de segurança pública. O primeiro foi secretário Nacional de Segurança Pública, coordenador de Segurança, Justiça e Cidadania do estado do Rio de Janeiro e tem várias obras publicadas sobre o tema. Miriam é assistente social e criminóloga, professora da Universidade Federal do Rio de Janeiro e ex-coordenadora do Instituto de Acesso à Justiça de Porto Alegre.

Além disso, os jornalistas Roberto Pompeu de Toledo e Villas-Bôas Corrêa, dois dos mais reconhecidos cronistas da vida pública brasileira, foram convidados a discorrer sobre a pergunta geral que dá nome a este livro. Mais uma vez, como no primeiro volume de *O Brasil tem jeito?*, todos sem exceção concordam que este país tem solução.

A convicção, no entanto, é tão consensual quanto a certeza de que há desafios monumentais a superar. É o caso da educação, segundo radiografia da professora Maria Helena Guimarães de Castro. Melhorar a qualidade da educação básica é hoje, segundo ela, "o maior e mais importante desafio do país no campo das políticas sociais". Que a educação brasileira costuma ser reprovada na comparação internacional, não há dúvida. Os números e a baixa qualidade da educação básica, em especial, são bastante conhecidos. Mas, para a professora, falta considerá-la prioridade a fim de promover as mudanças desejáveis.

"Por que não conseguimos melhorar a qualidade da educação básica?", questiona Maria Helena. "O que explica o atraso histórico da educação brasileira? Quais políticas podem contribuir para melhorar o quadro atual?" Tentar responder a essas perguntas é o objetivo do seu artigo. O roteiro é acertado: além da radiografia da situação atual – inclusive a "quantidade sem qualidade" percebida no ensino público brasileiro –, ela busca o exame das causas para apontar alternativas de políticas que possam orientar as mudanças que esperamos.

A atual secretária de Educação do estado de São Paulo afirma que, para implementar políticas que vençam as atuais deficiências, o Brasil precisa preocupar-se com o que chama de quatro eixos estratégicos de intervenção: (1) financiamento e prioridades do investimento em educação; (2) revisão das carreiras, formação e incentivos aos professores; (3) reorganização dos sistemas de ensino com forte ênfase na gestão da escola e da aprendizagem; e (4) currículo, metas de aprendizagem, avaliação e alfabetização.

Para a professora:

> Nas duas últimas décadas, uma onda de reformas educacionais teve lugar em vários países. A agenda dessas reformas é igual ou muito semelhante em diferentes países, mais ou menos desenvolvidos.[10] Todas as reformas começaram com a implantação de sistemas de avaliação externa, mas a real transformação só ocorre quando a escola usa os resultados para melhorar seu desempenho e a sociedade fiscaliza a qualidade da educação. Para isso, é preciso ter metas e padrões ambiciosos, boas condições de trabalho para professores e alunos, informação de qualidade, intensa comunicação com a sociedade e responsabilização das escolas por seus resultados.

Adib Jatene inicia seu artigo lembrando que as últimas cinco décadas foram de intensas conquistas e desenvolvimentos – da biologia molecular à fertilização artificial, das técnicas de imagem com tomografia computadorizada ao entendimento dos mecanismos imunológicos que permitiram o transplante de órgãos. As novas técnicas, ressalta o ex-ministro, "melhorou o diagnóstico, trouxe novas e mais eficientes técnicas de tratamento, mas a um custo não acessível à grande maioria da população do planeta". A conseqüência, segundo ele, tem sido a crescente participação dos governos combinada com as limitações orçamentárias. O resultado, afirma, é a frustração de expectativas.

Em seu artigo, Jatene relembra fatos históricos que asseguraram benefícios e impuseram maiores desafios à saúde no Brasil. Ele cita a transição demográfica, epidemiológica, ecológica e tecnológica, num processo que revelou a dificuldade dos países menos desenvolvidos em se adaptar a tais mudanças. Para citar um exemplo dessas transformações citadas por Adib Jatene, a transição demográfica trouxe maior urbanização e envelhecimento da população brasileira. Ter mais idosos significou um aumento na necessidade de atendimentos, não apenas na área da saúde, mas da assistência e da previdência sociais.

Jatene enfatiza a determinante política como elemento central no desenvolvimento da saúde – "porque não apenas regulamenta as práticas empregadas sob responsabilidade governamental, como participa diretamente na definição dos recursos a serem utilizados". Para ele, "as decisões políticas devem atender às necessidades sentidas pela população e a prioridade estar vinculada à necessidade".

A saúde é um dos mais bem-acabados retratos da distância entre as decisões e as necessidades, sugere Adib Jatene. Sobretudo para um país em que o grande problema está na saúde pública. Há um claro "desnível", diz ele, entre o setor privado e o setor público:

> O setor privado gasta ao redor de 80 bilhões de reais por ano, aproximadamente o mesmo valor gasto pelos três níveis de governo. ... Ocorre que o setor privado cuida de pouco menos de 40 milhões de pessoas, o que significa dizer que os gastos atingem perto de R$ 2 mil per capita/ano. O setor público, pela Constituição, presta serviços a toda a população, ou seja, atendimento médico-hospitalar e ambulatorial, que é o que o setor privado faz. Isso porque a outra metade é gasta em imunizações, combate a endemias, vigilância epidemiológica e vigilância sanitária, controle da qualidade de alimentos e medicamentos.

O artigo ainda compara os gastos do Brasil com os de outros países para mostrar que, se o Brasil tivesse um maior aporte de recursos, haveria uma "revolução" na saúde.

Com relação à justiça, o professor Dalmo Dallari, de experiência comprovada no ramo, alerta para o problema estrutural e institucional da dependência do Poder Judiciário frente aos outros dois Poderes, Executivo e Legislativo. Segundo Dallari, essa questão é de fundamental importância para se entender os vícios e os entraves que impedem o pleno funcionamento de um sistema legal no Brasil, que possa prestar um atendimento claramente universal e igualitário.

Para o professor, a história do Poder Judiciário brasileiro desde o início do Estado independente foi marcada pela sua submissão. No início, o controle fora exercido pelo imperador, depois pela discussão orçamentária centralizada no Executivo e no Legislativo, bem como pelo monopólio deste no estabelecimento das leis processuais. Segundo Dalmo Dallari, esse último ponto é de suma importância:

> Pois é um dos principais responsáveis pela grande demora na tramitação dos processos, uma vez que mantém exagerada possibilidade de criação de incidentes processuais, fartamente explorados pelos advogados interessados em provocar delongas. Além disso, a legislação processual é responsável pela existência de uma tremenda sobrecarga das instâncias superiores do Judiciário, pois a excessiva possibilidade de recorrer faz com que o princípio do duplo grau de jurisdição – a possibilidade de ter a decisão de um juiz revista por uma instância superior – tenha se degenerado para um sistema de triplo, quádruplo e, muitas vezes, quíntuplo grau de jurisdição.

Como afirma o professor, de forma bastante esclarecedora, a Constituição de 1988 criou um paradoxo no que concerne ao relacionamento entre os três Poderes. Uma igualdade formal entre eles, mas acompanhada de uma dependência prática do Judiciário aos outros dois. Com isso, a obtenção de recursos para a melhoria dos serviços ficou sempre nas mãos do Executivo e do Legislativo, sendo que o primeiro, para evitar o risco de uma reação descontente dos juízes, sempre fez concessões para que os membros do Judiciário recebam vantagens pessoais e prédios com aparência vultosa de poder, "instalações vistosas como palácios".

O autor conclui que é preciso, da parte de nossos magistrados, uma mudança de mentalidade que estabeleça o compromisso de promover e aceitar mudanças, abrindo mão de privilégios e de uma aparência formal e estética de prestígio. Quem sabe, assim, possa prevalecer no país um verdadeiro compromisso com a justiça.

No que diz respeito à segurança pública no Brasil, Luiz Eduardo Soares e Miriam Guindani apresentam tantos problemas e soluções quantos forem necessários para abordar um tema tão complexo. Para os autores, antes de qualquer lista de sugestões para a melhoria do setor no país, é preciso compreender os dilemas estruturais da formação social brasileira. "É nesse solo pantanoso que os problemas lançam suas raízes e brotam as soluções", escrevem.

E os problemas são muitos, e não há dúvida, afirmam, de que o desvio que mais se reproduz é o do tráfico de drogas e de armas:

> Há fortes indícios de que a matriz mais perigosa e insidiosa, que cresce mais velozmente, instalando-se nas favelas, vilas e periferias urbanas, e adotando o domínio territorial e a ameaça a comunidades como padrão, a matriz mais apta a recrutar jovens vulneráveis e a se reproduzir, estimulada pela crise social e pela fragilidade da auto-estima, é o tráfico.

É preciso perceber, no entanto, que a violência não é somente originada nos setores chamados "marginais". Soares e Miriam lembram que as polícias, os cárceres provisórios, o sistema penitenciário e o sistema socioeducativo, destinado aos infratores menores de 18 anos, têm sido, sistematicamente, perpetradores de violações de direitos, de brutalidades graves e, até mesmo, de crimes letais.

Há de se chamar atenção também para o que os autores denominam de "irracionalidade das instituições policiais". Em ampla consonância com a discussão relativa aos bens públicos, proposta por esta obra, o texto "Um pacto republicano pela vida" afirma que todo o aglomerado policial brasileiro, financiado com o dinheiro do cidadão, funciona de forma absolutamente inaceitável.

As polícias brasileiras, respeitadas as variações regionais e as boas práticas locais – e ressalvadas as ilhas de excelência –, via de regra são ineficientes, ineficazes e não-efetivas no cumprimento de seu dever constitucional. Não investigam os crimes, não os previnem, não os reprimem com qualificação, nos marcos da legalidade. Sobretudo não desempenham suas funções com eqüidade.

Como se não bastasse, é lastimável o estado das prisões brasileiras, mais um patrimônio público tratado com descaso. A perda do teor "corretivo" do sistema penal se representa nos números exibidos pelos autores, dos quais constam que apenas 26% dos presos cumprem atividades laborais e somente 17% têm algum vínculo educativo. Além disso, as assistências médica e jurídica são negligenciadas e a violação da correspondência ocorre em 60% dos estabelecimentos.

Nessa situação, não é de espantar que os filiados da Associação Comercial do estado do Rio de Janeiro, por exemplo, como mostram os autores, gastaram R$ 3 bilhões com segurança privada em 2005, valor correspondente ao orçamento público da segurança fluminense. O mesmo fenômeno também pôde ser percebido em São Paulo no mesmo ano, o que denota a idéia de que todo esse empresariado está simplesmente pagando duas vezes por um bem público básico que não tem garantido.

Dessa forma, afirmam Luiz Eduardo Soares e Miriam Guindani, é preciso, entre outras coisas, mudar o marco legal e gestor que organiza as polícias no Brasil; criar uma política penitenciária compatível com os esforços de democratização e modernização e que promova a segurança e a justiça com eficiência e respeito aos direitos humanos; e investir em políticas de prevenção ao crime, em especial no âmbito municipal. Sobretudo, defendem, é necessário urgentemente pôr em prática um verdadeiro e eficiente plano de segurança nacional.

No alto de quase 60 anos de jornalismo político, e com o vigor produtivo de cinco artigos por semana aos 83 anos, Villas-Bôas Corrêa abre os dois últimos artigos deste livro, que discorrem sobre a pergunta geral que dá nome à obra: O Brasil tem jeito? O autor traça um panorama histórico da política brasileira, com o estilo inconfundível de sempre, para ressaltar que, sim, o Brasil tem jeito – o que falta é alguém que lhe dê jeito.

Villas-Bôas inicia a sua análise com o pano de fundo da ditadura do Estado Novo, quando atuava no Centro Acadêmico Cândido de Oliveira, da Faculdade Nacional de Direito da Universidade do Brasil. Feito isso, passa com louvor pela chegada de Eurico Gaspar Dutra ao poder e a dele mesmo ao Palácio Tiradentes, em 1948, como repórter político na Câmara dos Deputados. Os comentários sobre aqueles tempos são de deixar qualquer um dos nossos atuais representantes envergonhados.

> Não era fina a casca do brilho oratório que lotava as modestas galerias dos palácios Tiradentes e Monroe* praticamente todos os dias da semana útil de quem se respeita e começa segunda-feira e termina sexta-feira. Muitas vezes, a urgência da votação de projetos importantes exigia a convocação de sessões aos sábados, com freqüência normal ... O peso político do Congresso e a sua importância como peça fundamental da experiência democrática devem ser avaliados pelas singularidades que não se transferiram para Brasília.

Sobre a sucessão de Dutra, Villas-Bôas Corrêa lembra da candidatura natural do senador Nereu Ramos, que racharia a UDN, teria o apoio de Getúlio, carregaria as probabilidades de folgada vitória e “mudaria o curso da história”. Nereu Ramos foi vetado pelo governo e abriu caminho para a volta de Vargas, culminando no suicídio que marcou para sempre a política brasileira.

O país só se recuperaria parcialmente do trauma com a eleição de JK, “favas contadas” para o jornalista. A calma, no entanto, foi superficial e a renúncia do sucessor Jânio Quadros levou a política novamente para terrenos perigosos.

---

* Onde ficava o Senado.

> Para um temperamento agitado, de rompantes e sem intimidade com o jogo político clássico, que detestava, o golpe da renúncia para negociar o retorno, nunca se soube em que condições mas, certamente, com poderes excepcionais, foi a opção.

O resultado todos conhecem. Um regime militar deplorável que Villas-Bôas Côrrea em nenhum momento, como um democrata de ofício, poderia justificar. "Êxitos e acertos administrativos à parte, no que aqui tratamos, visto em conjunto, o rodízio dos cinco generais-presidentes foi um desastre para a democracia", afirma.

O transcorrer das crises não pára: a morte de Tancredo Neves, a eleição e o impeachment de Fernando Collor, a reeleição famigerada de Fernando Henrique Cardoso, os escândalos inesperados de corrupção no governo Lula.

> Já experimentamos todas as receitas, engolimos as mais amargas mezinhas: dos oito anos da ditadura civil do Estado Novo de Getúlio aos 21 anos da ditadura militar do rodízio de cinco generais-presidentes e das duas purgas paisanas, a de 1945 ao golpe de 1964, e de 1985 até hoje.

Se a democracia resiste a navegar em águas tão revoltas e a esperança ainda sobrevive, para que se dê jeito no Brasil, o autor conclui, é preciso antes aceitar: "A crise do regime é ética."

Finalmente, os organizadores se orgulham de ter nas últimas páginas desta obra a contribuição do jornalista Roberto Pompeu de Toledo. Como Villas-Bôas Corrêa, Pompeu de Toledo foi incumbido de dar sua versão sobre a pergunta: O Brasil tem jeito? Com uma série de verbetes postos em ordem alfabética – um Brasil de "A a Z" –, o jornalista responde a questão com uma ironia fina e uma ambigüidade daquelas que esclarecem, ao invés de obscurecer. Jeito, o Brasil tem e não tem.

Tem jeito quando pensamos que o Brasil "somos nós mesmos", quando percebemos quão privilegiado o país é nos seus recursos naturais, quanto o brasileiro pode ser batalhador, muitas vezes vencedor em um ambiente de ampla dificuldade. Tem jeito quando visualizamos a convivência entre as raças, "longe de perfeita", mas capaz de emoldurar uma sociedade "multicolorida e mestiça que representa um importante ativo"; quando lembramos de Juscelino Kubitschek e Guimarães Rosa, dos nossos jogadores de futebol, da popularidade do hino nacional.

Por outro lado, não tem jeito o país das balas perdidas, que expulsa brasileiros em busca de uma vida melhor. O Brasil de economia forte mas IDH* baixo, onde as leis não valem para todos, que dispensa os seus Josés Bonifácio e distribui cargos públicos à base do fisiologismo. Não tem jeito o país de muitas unanimidades – reforma política, educação, segurança pública – que se perdem no imobilismo político. Ter e não ter jeito, eis a questão imposta pela realidade a todos os brasileiros.

* * *

Na esquina da rua Pedro Lessa com a avenida Graça Aranha, no centro do Rio de Janeiro, os ares-condicionados de um prédio da Previdência Social fazem chover na cabeça dos transeuntes, que pouco espaço têm na calçada que disputam com os camelôs. Melhor representação de como o Estado brasileiro trata o seu cidadão não há. Está mais que na hora de essa situação mudar e os organizadores desta obra acreditam que isso pode ser feito. Basta para tanto que a autoridade política incorpore a sua origem pública, republicana.

É nesse sentido que as prioridades devem ser tomadas, no sentido de se construir um verdadeiro aparelho público, que atenda, pelo menos, às necessidades básicas da nação com eficiência: educação básica, saúde, justiça e segurança. Novamente, isso não significa dizer que o corpo político deverá estar eternamente proibido de exercer quaisquer outras atividades. Significa, apenas, por hora, que essas são as necessidades mais urgentes da população brasileira

---

* Índice de Desenvolvimento Humano, medido pelo Programa das Nações Unidas para o Desenvolvimento (Pnud).

e da própria constituição do Estado brasileiro como nação e que atualmente não são de modo algum contempladas pela autoridade política, seja estadual, municipal ou federal.

Após a consolidação da democracia e a eliminação da praga inflacionária, urge no Brasil um novo debate sobre a alocação dos recursos públicos. A agenda é essa, tem de ser essa. Só assim a sociedade brasileira conseguirá romper a dinâmica trágica e absurda de divisão social e econômica, impunidade, corrupção política e violência desmedida, da qual ninguém pode ter a ilusão de estar imune, quiçá os corruptos e mais abastados.

Notas

1. Brandão, Túlio. "Família de Alana revive drama da violência", em *O Globo*, Rio, 14 abr 2007, p.30.
2. Sciarreta, Toni. "País ganharia acesso a um mercado 17 vezes maior", em *Folha de S. Paulo*, Dinheiro, 15 abr 2007.
3. Sobre isso, ver: Ipea, "Capítulo 2 – Renda", em *Radar Social 2006*. <www.ipea.gov.br>.
4. Dados do Instituto Brasileiro de Planejamento Tributário.
5. Batista, Henrique Gomes. "Carga tributária sobe 0,95 ponto percentual em julho" em *O Globo*, Economia, 21 ago 2007, p.27.
6. Duarte, Patrícia; Henrique Gomes e Gerson Camarotti. "Provisória e dispensável", em *O Globo*, O País, 2ª edição, 11 ago 2007, p.3.
7. Sobre isso, ver: Ipea, "Educação no Brasil: atrasos, conquistas e desafios", em *Brasil: o estado de uma nação*, p.155. < http://en.ipea.gov.br//index.php?s=11>
8. Sobre isso, ver: "Brasil gasta menos que vizinhos com aluno da pré-escola", em *Folha de S. Paulo*, Cotidiano, 02 jul 2000.
9. Pereira, Merval. "Fato novo?", em *O Globo*, O País, 14 jul 2007, p.4.
10. Ver, a respeito: Hopkins, David. *Improving Schools*, Open Univ. Press, Londres, 1999; e artigo do mesmo autor, "15.000 Hours", mimeo.

A educação tem jeito?

MARIA HELENA GUIMARÃES DE CASTRO

O desafio da qualidade

Introdução

O governo federal estabeleceu metas e prazos para que a educação pública brasileira atinja os níveis de desempenho médio verificados nos países mais desenvolvidos. Até 2021 todas as escolas públicas de nível básico deverão atingir essas metas, e para isso foi lançado, em abril de 2007, um novo plano nacional de educação, o Plano de Desenvolvimento da Educação (PDE). Trata-se de um desafio gigantesco, pois, segundo o próprio Ministério da Educação, apenas 62 das 200 mil escolas públicas do país possuem nível de qualidade compatível com o dos países desenvolvidos. Quais políticas e investimentos são necessários para alcançar esse nível? Como anda a situação da educação básica no país e o que pode ser feito para melhorá-la?

É fato que a sociedade brasileira valoriza cada vez mais a importância da educação como política pública indispensável para formar cidadãos competentes, promover eqüidade e aumentar a produtividade econômica do país. Algumas iniciativas recentes comprovam a preocupação e o compromisso da sociedade com a educação pública. Em setembro de 2006, um grupo de organizações não-governamentais e fundações empresariais lançou o compromisso "Todos pela Educação", também com metas a serem atingidas até 2022, ano em que o país completa 200 anos de independência.[1]

Melhorar a qualidade da educação básica é hoje o maior e mais importante desafio do país no campo das políticas sociais. É fundamental reconhecer a importância que a educação deve ter, mas também é preciso obter um diagnóstico claro das causas dos problemas a fim de traçar estratégias e políticas que possam melhorar o quadro atual. E qualquer solução passa por estratégias de longo prazo e políticas de Estado que não sofram descontinuidades com mudanças de governos.

Os números e a baixa qualidade da educação básica brasileira são bastante conhecidos e têm tido grande destaque nos meios de comunicação. No entanto, a qualidade da educação básica pública, sob a responsabilidade dos estados e municípios – que respondem por 90% do total da matrícula –, ainda não é considerada prioridade pela maioria dos pais de alunos, segundo diferentes pesquisas de opinião. Isso ocorre porque crianças e jovens têm mais oportunidades de escolarização do que tiveram seus pais no passado recente. É preciso, portanto, que os problemas da educação básica sejam mais bem compreendidos pelo conjunto da sociedade, de modo a viabilizar a construção de consensos e estratégias de longo prazo para promover as mudanças necessárias.

Na última década, depois de um avanço muito lento em relação aos outros países ou de "um atraso secular", como assinala Moura Castro,[2] o Brasil conseguiu ampliar significativamente a cobertura em todos os níveis de ensino. Entre 1994 e 2005, a matrícula do ensino superior dobrou. O ensino médio cresceu a taxas chinesas, variando de 8% a 12% ao ano. O ensino fundamental obrigatório conseguiu finalmente garantir vagas para todas as crianças de sete a 14 anos. Embora o atraso escolar seja ainda elevado em relação à série que os alunos deveriam estar cursando, as taxas de repetência e de evasão escolar caíram consideravelmente até o final dos anos

1990, tendendo à estabilização no período recente. O grande problema é a falta de qualidade do ensino oferecido. Todas as avaliações nacionais e internacionais apresentam sistematicamente resultados inaceitáveis. Melhorar a qualidade da educação básica, enfrentar as deficiências já diagnosticadas e implementar políticas que realmente levem à gradual mudança do sistema deve ser a mais alta prioridade do país.

Por que não conseguimos melhorar a qualidade da educação básica? Quais as principais causas de sua baixa qualidade? O que explica o atraso histórico da educação brasileira? Quais políticas podem contribuir para melhorar o quadro atual? Este é o objetivo deste artigo: examinar as principais causas da baixa qualidade da educação básica e apontar algumas alternativas de políticas que possam orientar as mudanças desejáveis.

O atraso educacional brasileiro: da exclusão consentida à universalização do acesso

O atraso educacional brasileiro tem suas raízes na formação histórica do país. Contrariamente ao que ocorreu em outras partes do Novo Mundo, o colonialismo português prestava pouca atenção ao tema da educação pública. A primeira preocupação com a organização de um sistema público de educação se observa na segunda metade do século XIX, com a criação das primeiras instituições federais de ensino. Pode-se dizer que a educação pública só entrou para a agenda nacional nos anos 1920, a partir das Conferências Nacionais promovidas pela Associação Brasileira da Educação, a criação do Ministério da Educação e Saúde em 1931, e a publicação do Manifesto dos Pioneiros da Nova Educação, assinado por Fernando de Azevedo, Anísio Teixeira e tantos outros.[3] Essas iniciativas, contudo, não tiveram força suficiente para dar à educação a prioridade devida.

No Brasil agrário da década de 1930, o acesso à educação era realmente privilégio de poucos. Em 1930, somente duas de cada 10 crianças freqüentavam a escola. E a maioria chegava, no máximo, até a quarta série do primário, pois apenas as grandes cidades ofereciam o ginásio (quinta a oitava séries). O analfabetismo atingia 60% da população brasileira com mais de 15 anos de idade. No período de 1930 a 1960, atribuiu-se grande ênfase à construção de um sistema público de qualidade, em detrimento da prioridade de universalização da educação básica. A partir dos anos 1960, o país deu início à expansão e diversificação do sistema, mas perdeu qualidade na educação básica.

Tal fenômeno não é exclusividade do Brasil. Em vários países, durante os períodos de expansão e universalização do acesso, observa-se queda na qualidade. Exemplo ilustrativo é o caso dos EUA, onde a maciça incorporação de alunos ao ensino básico na década de 1960 foi acompanhada de perda de qualidade, como mostram as avaliações educacionais norte-americanas, culminando com a divulgação do célebre relatório "A nação em risco", no início dos anos 1980. Desde então, uma série de iniciativas governamentais tem priorizado a melhoria da qualidade da educação pública naquele país, que ainda enfrenta problemas graves bastante conhecidos.

Em contraste com a de outras nações do continente americano, a elite brasileira nunca se preocupou realmente em educar as massas, em investir na educação pública de caráter universal, como mostra a excelente pesquisa de Maria Luiza Marcílio.[4] Apesar disso, o país avançou bastante nos últimos 50 anos. Foi criado um sistema educacional amplo e diversificado, claramente assentado na educação pública. Temos desde a educação infantil até um moderno e sofisticado sistema de pós-graduação e pesquisa criado nos anos 1970 – um dos mais importantes entre os países em desenvolvimento e que tem oferecido contribuição fundamental para a modernização do país. Entretanto, o sistema educacional brasileiro não deixou de ser elitista; ao contrário, no final do século XX, ainda reproduzia e aprofundava as enormes desigualdades sociais do país.

As grandes e históricas desigualdades sociais geradas pelo processo de desenvolvimento brasileiro explicam, em grande medida, o atraso educacional de décadas e a baixa escolaridade média de nossa população. Isso é evidenciado pelo fato de 45% dos chefes de famílias pobres nunca terem freqüentado a escola ou a terem abandonado antes de completar um ano de estudo. O quadro abaixo mostra que a escolaridade média da população brasileira em idade ativa em 1960 estava em torno de apenas dois anos, chegando a apenas cinco anos na metade da última década do século XX.

Tabela 1. Número médio de anos de estudo de pessoas de 10 anos ou mais de idade

Ano	Sexo	
	Homens	**Mulheres**
1960	2,4	1,9
1970	2,6	2,2
1980	3,9	3,5
1990	5,1	4,9
1995	5	5,3
2001	6	6,3
2005	6,6	6,9

Fonte: Relatório Pnud IDH. 1996.
Fonte: IBGE, Pnad, 2005.
Notas: Dados de 1995 calculados pelo MEC/Inep/Seec com base na Pnad/1995.
Excluída a população rural de RO, AC, AM, RR, PA e AP.

Lamentavelmente, a situação educacional do Brasil na metade da última década do século XX, segundo a Pnad de 1995, pode ser assim resumida:

- 87,5% das crianças de sete a 14 anos freqüentavam a escola;
- 17% da população com 15 anos ou mais era analfabeta;
- 25% das crianças do Nordeste não freqüentavam a escola;
- 25% das crianças pobres não freqüentavam a escola;
- 20% das crianças negras não freqüentavam a escola;
- 6,8% dos jovens de 15 a 19 anos de idade eram analfabetos; no Nordeste, o percentual subia para 16,3%.

Como assinala Souza,[5] os principais problemas da educação básica brasileira em meados dos anos 1990 eram típicos de países pobres. Além da dificuldade de acesso das crianças pobres ao ensino fundamental obrigatório, nosso sistema público apresentava taxas elevadíssimas de reprovação e abandono, com impacto negativo no fluxo escolar e no rendimento dos alunos.

Em conseqüência das elevadas taxas de repetência, mais de 44% dos alunos da quarta série do ensino fundamental estavam dois anos atrasados em relação a seu grupo etário, proporção essa que atingia 53% entre os estudantes da oitava série. Como resultado, na terceira série do ensino médio, apenas 30% dos estudantes tinham a idade apropriada, isto é, 17 anos. Em suma, o fluxo escolar apresentava deficiências enormes. Menos da metade dos alunos que começavam a primeira série do ensino fundamental concluía as oito séries desse nível de ensino. Aqueles que o concluíam levavam em média mais de 12 anos para fazê-lo.[6]

A qualificação de nossos professores do ensino básico era muito deficiente. Dos que atuavam na pré-escola e nas quatro primeiras séries do ensino fundamental, um quarto não possuía a qualificação mínima necessária – eram os chamados professores "leigos" que predominavam nas regiões Nordeste, Norte e Centro-Oeste do país. Considerando o conjunto do corpo docente do ensino básico – da educação infantil ao ensino médio –, menos da metade possuía formação de nível superior.[7]

O sistema de financiamento público do ensino básico era desorganizado e não estimulava os estados e municípios a investir seriamente em educação. Os gastos públicos com essa área no Brasil correspondiam a 4,5% do Produto Interno Bruto, o que não é tão pouco. Países desenvolvidos, como Alemanha e Japão, investem em educação proporção semelhante do PIB.[8]

A Constituição federal de 1988 ampliou a autonomia dos municípios, permitindo-lhes que organizassem seus próprios sistemas de ensino, independente de supervisão estadual ou federal. No entanto, não havia critérios legais para a divisão de responsabilidades na educação, e o financiamento das redes de ensino era caótico. A nova

Constituição instituiu a vinculação de 25% das receitas de estados e municípios e de 18% das receitas da União à educação. Nos anos seguintes, o descumprimento da vinculação constitucional generalizou-se. A lei reservou os recursos, mas não introduziu mecanismos eficientes de fiscalização e controle. Governos estaduais e municipais usavam de artifícios para incluir no orçamento da educação outros gastos administrativos. Aspecto a ser também considerado é o fato de o Brasil ser um país de grandes contrastes regionais. Em suas regiões mais pobres, a capacidade de investimento do setor público em educação é muito menor do que a de regiões mais ricas, como o Sudeste e o Sul.

Como agravantes dos conhecidos desequilíbrios regionais, as características históricas faziam com que o alunado se distribuísse de forma muito desigual entre as redes estaduais e municipais. A capacidade de investimento dos estados sempre foi superior à dos municípios, em especial nas regiões mais pobres. No entanto, justamente nos estados mais pobres, sobretudo na região Nordeste, os municípios arcavam com a maioria dos alunos do ensino fundamental, devido à ausência do governo estadual. Nas regiões mais ricas, ao contrário, predominava a presença dos governos estaduais.

Além de mal distribuídos, os recursos eram mal aplicados, não havendo correspondência entre sua repartição e o número de alunos matriculados. Em cidades mais ricas, com redes municipais de ensino pequenas e poucos alunos, o dinheiro sobrava. Em contrapartida, nas cidades pobres, com grandes redes e muitos alunos, faltavam recursos. A verba, portanto, era mal dividida, mal utilizada e muitas vezes desviada, sem que houvesse um mecanismo seguro de controle. Essa situação foi alterada com a criação do Fundo Nacional de Desenvolvimento da Educação/Fundef, por meio da Emenda Constitucional 14, aprovada em 1996 e implementada a partir de 1998, que passa a vincular 60% dos recursos destinados à educação ao número de alunos matriculados no ensino fundamental das redes municipais e estaduais.

O ensino médio não era muito abrangente. Entre 1971 e 1980 sua matrícula saltou de pouco mais de 1 milhão de alunos para quase

3 milhões, um crescimento de 151%, mas que representava apenas 14,3% dos alunos na faixa etária de 15 a 17 anos. Esse crescimento, porém, foi muito desacelerado na década de 1980, só ultrapassando os 4 milhões no começo dos anos 1990. Na verdade, o ensino médio era basicamente um ritual de passagem para os poucos que pretendiam prosseguir os estudos no nível superior. Com as novas exigências do mercado de trabalho, verifica-se um crescimento acelerado do ensino médio tanto no sistema regular como na modalidade de jovens e adultos. Estudo realizado por Menezes Filho[9] mostra que metade da geração nascida em 1982 alcançou o ensino médio no ano 2000. Isso representa um salto considerável em relação a apenas um quarto da geração nascida em 1970, que logrou completar a educação básica no final dos anos 1980.

O ensino superior, que, de forma semelhante ao ensino médio, passara por etapa de desaceleração com crescimento vegetativo entre 1980 e 1994, não só recupera o ritmo de crescimento verificado nos anos 1970, como aponta uma nova onda de expansão das matrículas nas instituições públicas e privadas. Na última década, o ensino superior cresce a taxas muito elevadas, passando de 1,7 milhão de alunos em 1994 para 4,7 milhões em 2005.

Em suma, nos últimos dez anos observam-se importantes mudanças no quadro educacional do país. De um lado, a década caracterizou-se pela universalização do ensino fundamental, melhoria gradual dos indicadores de transição do sistema, queda significativa das taxas de analfabetismo e pela extraordinária expansão da educação em todos os níveis de ensino, especialmente o ensino médio e a educação superior. De outro, a educação passou a integrar uma agenda de reformas institucionais com ênfase na expansão do sistema e na melhoria da qualidade e da eqüidade da educação.

Entre as iniciativas, desencadeadas a partir de 1995, destacam-se principalmente: a aprovação de um novo marco legal, a Lei de Diretrizes e Bases da Educação Nacional/LDB, que estabelece novas condições institucionais para a implantação da reforma do sistema; e a criação do Fundef no plano fiscal, que redesenha o modelo de financiamento do ensino fundamental obrigatório. Ambas as mudanças legais ocorrem em 1996, portanto, há apenas 10 anos, e conformam os pilares centrais das mudanças que passam a redesenhar as políticas educacionais do país. Em janeiro de 2007, o Fundef foi substituído pelo Fundo Nacional de Desenvolvimento da Educação Básica (Fundeb), que mantém basicamente a lógica de funcionamento de seu antecessor, passando a abranger todos os níveis da educação básica, desde a educação infantil até o ensino médio.

O contexto das reformas educacionais iniciadas a partir dos anos 1990 trouxe para o centro da agenda a importância dos sistemas de avaliação como mecanismo indutor das mudanças. Além da ênfase no aumento de recursos, melhoria dos currículos e descentralização da gestão das redes públicas de ensino ganha destaque uma nova agenda voltada para a melhoria do desempenho das escolas, avaliação do rendimento dos alunos, mais transparência e fortalecimento dos mecanismos de prestação de contas à sociedade.

No Brasil, a implantação de um abrangente sistema de informação e avaliação educacional, em meados dos anos 1990, contribuiu para orientar a formulação de políticas que promovessem a democratização do acesso à educação e permitiu aprofundar o conhecimento a respeito dos fatores que explicam a falta de qualidade da educação brasileira. A reformulação do sistema de estatísticas educacionais, praticamente inoperante desde o final dos anos 1980, assim como a implantação de sistemas de avaliação para acompanhar o desempenho da educação em todos os níveis e subsidiar as políticas de expansão e melhoria da qualidade, foi também eixo estratégico das políticas desencadeadas nos anos 1990.

Em resumo, enquanto alguns países avançaram muito, como Coréia e Espanha, que nos anos 1960 apresentavam indicadores educacionais semelhantes aos nossos, o Brasil ficou para trás, avançando muito lentamente até meados dos anos 1990. Se hoje é possível comemorar o fato de 97% das crianças de sete a 14 anos terem finalmente acesso à escola fundamental, também é preciso lembrar que apenas 65% delas concluem a oitava série, e apenas 42% dos jovens concluem o ensino médio. Eis o grande problema da educação brasileira após uma década de rápida expansão da oferta: há escolas para todos, mas falta qualidade. E melhorar a qualidade exige não só mais recursos, mas políticas adequadas de longo prazo e um firme compromisso da nação com metas compartilhadas por todos.

"Quantidade sem qualidade": o que explica a situação da educação?

A análise da situação educacional brasileira permite duas interpretações paradoxalmente contraditórias. A primeira, mais otimista, ressalta os aspectos positivos do atual cenário, como a significativa expansão da matrícula em todos os níveis de ensino e a relativa tendência de melhoria dos indicadores de eficiência do sistema, especialmente do ensino fundamental. Essas evidências permitem sustentar que a educação no país apresentou avanços expressivos, especialmente na última década.

A segunda forma de interpretar os indicadores, numa perspectiva comparada, revela os aspectos bastante insatisfatórios do sistema educacional, como a persistência de elevadas taxas de repetência, abandono e distorção idade/série e o baixo desempenho dos alunos. Todas as avaliações nacionais, como o Sistema Nacional de Avaliação da Educação Básica (Saeb) e o Exame Nacional de Ensino Médio (Enem), bem como várias avaliações internacionais, como o Programa Internacional de Avaliação de Estudantes (Pisa, na sigla em inglês), coordenado pela Organização para a Cooperação e o Desenvolvimento Econômico (OCDE), demonstram a baixa qualidade da educação brasileira.

De fato, se do ponto de vista quantitativo a expansão do sistema educacional brasileiro atingiu patamares bastante razoáveis, o mesmo não pode ser dito em relação aos indicadores de qualidade e eqüidade, que permanecem muito distantes dos padrões desejados pela sociedade e necessários ao desenvolvimento nacional. Nas últimas três décadas, o esforço educacional do país visou, prioritariamente, à universalização do acesso ao ensino fundamental. Com efeito, a taxa de escolarização líquida da população de sete a 14 anos saltou de 67%, em 1970, para 97%, em 2003.[10]

O sucesso desse esforço para universalizar o ensino fundamental, em que pese a existência de profundas desigualdades regionais nas condições de oferta, gerou o fenômeno da acelerada massificação do sistema educacional. O Brasil tem hoje, somados todos os níveis e modalidades da educação básica, cerca de 55 milhões de alunos. Se forem acrescidas as matrículas do ensino profissional, do ensino superior e da pós-graduação, esse contingente supera 60 milhões de matrículas, o que corresponde a mais de um terço da população total do país. No entanto, apesar do alargamento do acesso, bastante concentrado nos 34 milhões de matrículas no ensino fundamental, o sistema educacional brasileiro permanece ainda acentuadamente afunilado. Isso porque uma parcela muito pequena de cada coorte etária logra completar a educação básica, que inclui o ensino médio, e uma proporção ainda menor alcança o ensino superior.

Gráfico 1. Da educação infantil até a pós-graduação, o Brasil possui mais de 60 milhões de estudantes

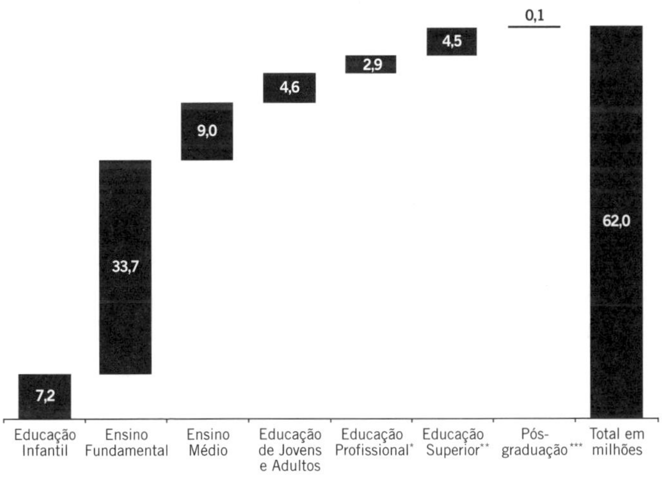

* 1999
** 2005
*** 2004
Fonte: MEC/*INEP*, *CAPES* e Paulo Renato Souza Consultores.

A Pnad 2005 mostra que 45% dos jovens de 15 a 17 anos estavam matriculados no ensino médio (contra apenas 30% em 1998). Como a taxa de atendimento atingia 85% da coorte, o restante dos alunos estava concluindo as séries finais do ensino fundamental. Os dados indicam que o expressivo crescimento das matrículas no ensino médio entre 1994 e 2002 foi sustentado pela incorporação de estudantes com idade mais elevada e pela gradual melhoria do fluxo escolar no ensino fundamental.[11]

Esse movimento, porém, vem mudando. Os dois últimos censos escolares (2005 e 2006) indicam tendência de queda da matrícula do ensino médio, antes mesmo de se completar a plena universalização do acesso. A boa notícia é a queda da proporção de matrículas nos cursos noturnos, apontando para o aumento do número de alunos na idade correta no período diurno, aspecto importante para melhorar o desempenho dos alunos. O ensino médio não é mais predominantemente noturno, como era na década passada. A má notícia é o aumento das taxas de repetência e abandono escolar, especialmente a partir dos 14 anos.[12]

O problema, como aponta Klein,[13] é que até o final dos anos 1990 observa-se queda das taxas de repetência e evasão, tendo como conseqüência melhor fluxo dos alunos, diminuição da distorção idade/série e aumento das taxas de conclusão do ensino fundamental e do médio. A partir de 2001 verificam-se relativa estabilização daqueles indicadores e aumento da evasão. Em conseqüência, o número de concluintes do fundamental e do médio está diminuindo, e a proporção de alunos com 17 anos ou mais começou a declinar a partir de 2003. Isso significa que a tendência de progressiva incorporação de alunos na idade correta, apontada pelas Pnads entre 1992 e 2001, dá sinais de esgotamento e está se revertendo. E o que explica essa tendência?

Há evidências de que apenas o acesso ao ensino fundamental está universalizado. Segundo a Pnad 2005,[14] o quadro atual da educação pode ser assim resumido:

- 99% das crianças têm acesso à primeira série;
- 96,5% das crianças de sete a 14 anos estão matriculadas;

- 41% dos jovens de 15 anos concluíram o fundamental;
- 34% dos alunos de 10 anos com atraso escolar;
- 55% dos alunos de 14 anos com atraso escolar;
- 74% dos alunos de 17 anos com atraso escolar.

Os dados mostram por que apenas 70% dos jovens chegam ao término da oitava série, incluindo nesse índice também os alunos que seguem a educação de jovens e adultos. O grande problema é o atraso da maioria dos alunos em relação à série que deveriam estar cursando. Devido às altas taxas de repetência e de abandono, o atraso escolar começa cedo e aumenta com a idade. Por essa razão, a Pnad 2005 traz uma péssima notícia: 18,3% dos jovens de 15 a 17 anos estão fora da escola sem completar o ensino fundamental. A partir dos 14 anos, como mostra Simon Schwartzman,[15] a porcentagem de jovens que estudam começa a cair rapidamente, chegando a menos de 50% aos 18 anos. O que explica o abandono da escola se as oportunidades de trabalho para jovens com baixa escolaridade são cada vez mais limitadas, posto que a demanda do mercado requer pessoas com mais educação? É preciso aprofundar as análises sobre esse fenômeno, que certamente se relaciona à baixa qualidade do ensino e ao atraso escolar.

É importante lembrar que a evolução da cobertura no período de 1989 a 1998 já indicava um crescimento mais intenso da matrícula nas séries finais (da quinta à oitava) do que nas iniciais. Com isso, a participação relativa da matrícula das séries iniciais declinou de 68% para 55%, ao passo que a matrícula das séries finais aumentou de 31% para 45%. Houve, portanto, um claro avanço do fluxo escolar na direção das séries finais. A partir de 2004, o censo escolar passou a registrar uma redução das matrículas, em ambos os segmentos, mostrando que o fluxo começa a regredir, em conseqüência do aumento da repetência e da evasão escolar, como já assinalado, além de mudanças no perfil demográfico.

Contudo, é do ponto de vista regional que se observam as mudanças mais significativas no perfil da matrícula do ensino fundamental. As regiões Sul e Sudeste, situadas em um estágio mais avançado de desenvolvimento socioeconômico, registraram na última década um crescimento negativo da matrícula da primeira à quarta série, acompanhado de acelerada expansão da matrícula nas séries finais. Esse fenômeno, além de refletir mudança na dinâmica demográfica, está relacionado a políticas de implantação do ciclo básico, combate à repetência e aceleração da aprendizagem, proporcionando assim maior correção do fluxo escolar. Com isso, as regiões Sul e Sudeste já apresentam uma composição quase paritária entre a matrícula das quatro séries iniciais e a das séries finais. A região Centro-Oeste, por sua vez, apresenta um perfil muito parecido com o observado no Sul e no Sudeste, em função principalmente do peso estatístico que representa o Distrito Federal.

Nas demais regiões do país, a situação é diferente. Apesar de ter havido uma consistente expansão da matrícula em todas as séries do ensino fundamental na última década, as regiões Norte e Nordeste ainda exibem uma proporção de matrículas muito mais alta nas séries iniciais do que nas finais. A proporção de matrículas nas séries iniciais em relação ao total chega a mais de 55% no Nordeste e a 60% no Norte. Assim, as regiões Norte e Nordeste acumulam um atraso de quase uma década em relação ao Sul e ao Sudeste na distribuição das matrículas, apesar dos avanços na universalização do acesso e da melhoria do fluxo escolar.

No ensino médio, os estados do Sul do país exibem taxas de escolarização líquida acima de 50%, com taxas brutas de atendimento acima de 80%. Isso significa que, de cada 10 jovens de 15 a 17 anos, oito estão na escola e cinco no nível adequado de ensino. O estado de São Paulo e o Distrito Federal acompanham essa tendência, seguidos de perto pelos demais estados do Sul e do Sudeste. Nos estados do Nordeste, embora estes apresentem altas taxas de atendimento dessa população jovem, apenas dois ou três alunos, entre os oito que estão na escola, encontram-se no nível adequado. Os demais ainda tentam concluir seus estudos no nível de ensino fundamental. Ainda assim, as taxas de atendimento próximas de 80%, tanto nos estados do Nordeste como nos do Norte e do Centro-Oeste, indicam o grande avanço alcançado com a volta à escola de jovens que não tinham a perspectiva de terminar seus estudos. O problema está no atraso escolar e na repetência, que acabam levando ao abandono antes mesmo da conclusão do fundamental.

Importa registrar que a taxa líquida revela que a quase-totalidade de crianças e jovens de sete a 15 anos está na escola, enquanto a diferença entre as duas taxas, bruta e líquida, reflete uma das maiores distorções de nosso sistema educacional, ou seja, os milhares de alunos repetentes ou com atraso escolar. Se essa anomalia não existisse, o ensino fundamental brasileiro disporia de 25% a mais de recursos por aluno do que tem hoje, o que permitiria aumentar razoavelmente o salário dos professores, melhorar as condições de funcionamento de nossas escolas e impedir que aqueles com 15 anos ou mais abandonassem a escola, como apontam os dados da Pnad 2005 e dos últimos censos escolares.

O déficit da qualidade na educação básica

Todas as evidências já apontadas mostram que o desafio atual da educação básica, sobretudo do ensino fundamental, onde está o grande nó do problema, não se situa mais no acesso e sim na melhoria da qualidade. O principal objetivo passa a ser a permanência, o sucesso escolar e a efetiva aprendizagem de todos os alunos. Vejamos o que mostram as avaliações nacionais, quais os resultados obtidos e quais os fatores que explicam o baixo desempenho de nossos alunos.

O principal instrumento de avaliação da educação brasileira é o Sistema Nacional de Avaliação da Educação Básica (Saeb), aplicado pelo Inep, órgão vinculado ao Ministério da Educação. Desde 1995, o Saeb avalia as competências em língua portuguesa e matemática de uma amostra representativa de estudantes na quarta e oitava séries da educação básica e na terceira série da educação média, e considera as características do perfil de oferta do setor público e do privado, de todos os estados brasileiros. Além de testes ao corpo discente, o Saeb aplica questionários a professores, diretores de escolas e alunos com o objetivo de identificar os fatores associados ao desempenho destes últimos, como hábitos de estudo, acesso a bens culturais, uso do tempo na escola etc.

Os resultados dessas avaliações são apresentados em uma escala de proficiência que descreve, em cada nível, as competências e as habilidades que os alunos desenvolveram ao final dos ciclos de aprendizagem. A escala do Saeb é única para cada disciplina e permite reunir, em uma mesma métrica, os resultados de desempenho dos estudantes de todas as séries (quarta e oitava séries do ensino fundamental e terceira série do ensino médio) e anos de aplicação dos testes (1995, 1997, 1999, 2001, 2003 e 2005). Os testes são elaborados com base na Matriz de Referência Curricular do Saeb, que abrange os conteúdos curriculares básicos informados pelos sistemas de ensino. É importante lembrar que no Brasil não há um currículo nacional unificado, uma vez que nossa estrutura federativa garante autonomia a todos os estados e municípios, responsáveis diretos pela oferta de educação básica.

A interpretação da escala do Saeb permite identificar o percentual de alunos que possui as competências e habilidades esperadas para cada uma das séries avaliadas, quantos estão situados no nível regular, quantos estão abaixo do nível que seria desejável para a série e quantos estão acima do nível que seria esperado. O quadro abaixo, extraído de documento recentemente elaborado pela Academia Brasileira de Ciências e organizado por Simon Schwartzman, estabelece relações entre os momentos dos ciclos escolares (e os desempenhos mínimos ou básicos que a eles correspondem) e os níveis de proficiência da escala do Saeb.

Tabela 2. Relação entre níveis de proficiência e ciclos dos níveis de ensino (Ceae UFRJ)[16]

Nível de proficiência – escala Saeb/97	Matemática	Língua portuguesa
	Ciclo e nível de ensino	Ciclo e nível de ensino
100	Não significativo	Até a metade do 1º ciclo do ens. fund.

175	Até a metade do 1º ciclo do ens. fund.	Até o final do 1º ciclo do ens. fund.
250	Até o final do 1º ciclo do ens. fund.	Até o final do 2º ciclo do ens. fund.
325	Até o final do 2º ciclo do ens. fund.	Até o final do ens. médio
400	Até o final do ens. médio	Além do final do ens. médio

Com base na metodologia indicada na Tabela 2, o mesmo documento apresenta o gráfico abaixo mostrando o desempenho dos alunos em matemática. A variável {Quarta, oitava, terceira} representa os três grupos avaliados pelo Saeb/2005, ou seja, os alunos da quarta e da oitava séries do ensino fundamental e da terceira série do ensino médio. As gradações das colunas representam o nível de conhecimento detectado pelo Saeb e indicam se o aluno está com o nível esperado na terceira série do ensino médio, ou da oitava, da quarta e da segunda séries do ensino fundamental ou com nível abaixo da segunda série do ensino fundamental.

Gráfico 2. Saeb/2005 Matemática

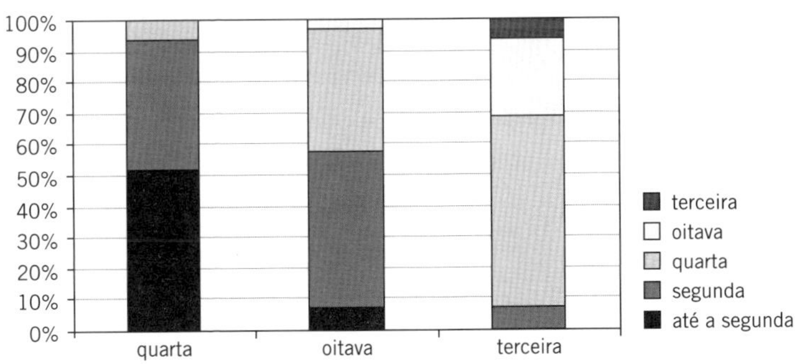

Os dados mostram que, na quarta série, metade dos alunos ainda está em um nível inferior ao que seria esperado na segunda série da educação fundamental, e menos de 10% deles têm o nível desejável para essa série. Na oitava série, mais de 50%

ainda estão no nível equivalente à segunda série ou inferior, e só uma pequena proporção, inferior a 5%, tem o nível esperado para a série. Na terceira série do ensino médio, 70% estão em um nível equivalente à quarta série ou inferior, e outros 25%, aproximadamente, estão no nível correspondente à oitava série, com menos de 10% no nível apropriado. Portanto, a maior parte dos estudantes brasileiros tem formação inadequada em matemática para as respectivas séries.

Situação semelhante pode ser identificada para língua portuguesa, como indicam vários estudos sobre o Saeb.[17] Segundo o próprio Inep, os resultados do Saeb 2005 revelam que cerca de 52% das crianças da quarta série estão situadas nos níveis crítico e muito crítico, e não conseguem ler as horas em um relógio digital, nem realizar operações de multiplicação ou divisão. Entre os alunos da oitava série, a soma de estudantes nos níveis crítico e muito crítico atinge 60%, chegando a quase 70% no ensino médio.

Essa situação de baixo desempenho tem-se mantido relativamente estável ao longo de toda a existência do Saeb, tanto para matemática quanto para língua portuguesa, como indicam os dois gráficos seguintes (3 e 4).

Gráfico 3. Saeb – Evolução das médias – língua portuguesa

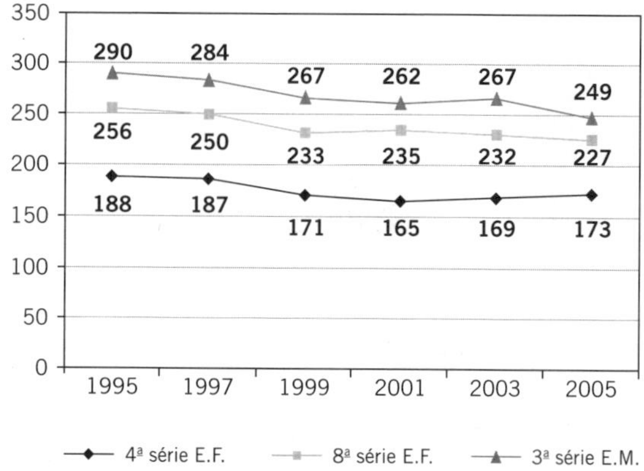

Gráfico 4. Saeb – Evolução das médias – matemática

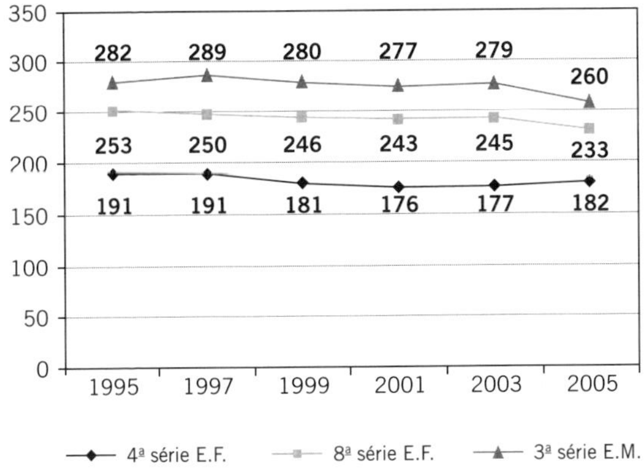

Fonte: MEC/Inep/Daeb.

De fato, desde a primeira edição do Saeb, os dados mostram pontos importantes que explicam o baixo desempenho do sistema. Em primeiro lugar, observa-se uma grande heterogeneidade entre os estados brasileiros e também dentro de cada um deles, tanto nas redes estaduais como nas municipais. Em uma mesma rede de ensino há escolas muito boas e muito ruins. Redes públicas com professores que recebem salários idênticos e, teoricamente, seguem o mesmo currículo e as mesmas orientações pedagógicas apresentam resultados muito distintos. Escolas com equipes mais estáveis, bons diretores integrados à comunidade e que estimulam a participação dos pais, a criação de um ambiente favorável à aprendizagem e o compromisso com bons resultados apresentam melhor desempenho. Isso significa que a gestão da escola faz muita diferença e que a qualidade não está diretamente associada a salários de professores ou ao gasto médio por aluno.

Em segundo lugar, os dados do Saeb têm mostrado sistematicamente a não-correlação entre o desempenho das redes de ensino e os recursos destinados à educação.[18] Um bom exemplo é o caso de Minas Gerais, que desde 1995 vem-se destacando pela qualidade da educação pública, com saltos sucessivos de melhoria do seu desempenho comprovados pelo Saeb, e que está em 13º lugar no ranking do valor per capita (por aluno/ano) , de acordo com as regras de repartição do Fundef/ Fundeb. Isso significa que há pelo menos 12 estados com mais recursos disponíveis por aluno/ano, entre os quais o Distrito Federal, São Paulo e Rio de Janeiro, que poderiam ter desempenho igual ou superior ao de Minas, caso apenas o volume de recursos destinado à educação fosse sinônimo de qualidade. De modo semelhante, avaliações internacionais como o Pisa[19] também trazem evidências sobre a não-correlação direta entre investimentos em educação e resultados da aprendizagem. Um bom exemplo é o da Coréia, que apresenta desempenho muito superior ao dos EUA e gasta quase duas vezes menos por aluno, conforme os resultados do Pisa 2003.

Em terceiro lugar, todas as edições do Saeb mostram o efeito perverso da repetência e do atraso escolar no desempenho acadêmico dos alunos. Os dados indicam que, quanto mais o aluno repete ou tem atraso escolar, pior é seu desempenho. Alunos com dois anos de defasagem em relação à série cursada têm em média 10 pontos a menos na escala do Saeb do que os que estão na idade adequada. O mesmo resultado é apontado pelo Pisa e por todos os resultados dos exames do Enem, desde 1998.

Em quarto lugar, os resultados indicam que entre 70% e 90% do desempenho se deve a fatores relacionados aos alunos e suas famílias, tais como a escolaridade dos pais e o acesso a bens culturais. Os dados revelam que entre 10% e 30% das diferenças das médias obtidas na rede pública devem-se a variação de desempenho entre as escolas. O restante da defasagem é resultado das diferenças entre os alunos e suas famílias. Filhos de mães com nível médio completo apresentam melhor desempenho. Alunos que ingressam mais cedo no sistema e fazem a pré-escola apresentam melhor desempenho em todas as séries do que os que entram aos sete anos na primeira série. As variáveis que mais explicam o desempenho escolar devem-se às características familiares e do aluno, como educação das mães, cor, atraso escolar e reprovação prévia e número de livros em casa, como demonstra a excelente pesquisa de Menezes Filho: "Os determinantes do desempenho escolar no Brasil."[20]

Ainda segundo esse autor, uma das únicas variáveis da escola que afetam fortemente o desempenho dos alunos é o número de horas-aula. Portanto, uma política que pudesse ter um efeito significativo para melhorar a qualidade do ensino deveria priorizar o aumento do turno escolar, pois no Brasil os alunos ficam em média apenas quatro horas por dia na escola. O trabalho mostra ainda que, de modo semelhante ao observado em diversos estudos internacionais, variáveis como salário e escolaridade dos professores, assim como tamanho das turmas, parecem ter efeito reduzido sobre o desempenho dos alunos.

O combate à repetência e a melhor organização da escola de modo a oferecer mais e melhores oportunidades de aprendizagem constituem-se também em aspectos centrais de uma política de melhoria da qualidade do ensino. A falsa premissa de que seria benéfico para o aluno com baixo rendimento repetir uma série para reforçar a aprendizagem contribuiu para gerar uma das principais distorções do sistema educacional brasileiro. A incidência de elevadas taxas de repetência e da distorção idade/série aparece como uma das principais causas do baixo desempenho dos alunos em todas as pesquisas do Saeb. Somente no ensino fundamental, estão retidos 6,8 milhões de alunos com 15 anos ou mais e que já deveriam estar freqüentando o ensino médio. A conseqüência mais drástica, porém, recai sobre os próprios alunos com atraso escolar, pois a repetência afeta a sua auto-estima e prejudica o seu rendimento, resultando não raramente no abandono definitivo da escola.[21]

A Prova Brasil, aplicada pela primeira vez em 2005, abrange o universo dos alunos da quarta e oitava séries e as mesmas disciplinas avaliadas pelo Saeb. Seus resultados permitem identificar o desempenho por municípios e escolas. Foram avaliados 3,3 milhões de alunos de 42 mil escolas públicas urbanas, e os resultados, bastante semelhantes aos verificados no Saeb, que avalia amostra de 350 mil alunos e sete mil escolas, comprovam as evidências já mencionadas. Um bom exemplo é o caso de Barra do Chapéu, município paulista do vale do Ribeira que detém um dos menores Índices de Desenvolvimento Humano (IDH) do estado, e que ficou entre os

20 mais bem colocados na Prova Brasil. De novo comprova-se a não-correlação entre gasto médio por aluno e desempenho, pois municípios paulistas com investimentos muito superiores em aluno/ano apresentaram desempenho bastante inferior.

O baixo desempenho observado nas avaliações nacionais também se repete nas avaliações internacionais. Os dados do gráfico abaixo referem-se ao desempenho em matemática de alunos de vários países em uma avaliação internacional, o Pisa 2003, que testou as competências e habilidades de alunos de 15 anos, com ênfase em matemática.[22] Os resultados mostram que os alunos brasileiros obtiveram o pior desempenho da amostra avaliada, estando um pouco abaixo daqueles de países com renda per capita semelhante à nossa, como México, Uruguai e Turquia. Mesmo os alunos brasileiros com melhor desempenho no Pisa ficaram em situação de desvantagem em relação aos melhores alunos da maioria dos países. Este é o pior resultado do Brasil no Pisa: os melhores alunos das melhores escolas públicas e privadas do país, com nível socioeconômico e cultural mais elevado, não atingiram a média de desempenho dos alunos dos países membros da OCDE. Tal resultado foi também demonstrado no Pisa 2000 com ênfase em leitura, como demonstram os gráficos seguintes (5 e 6).

Gráfico 5. Desempenho do Brasil
Pisa 2003: matemática

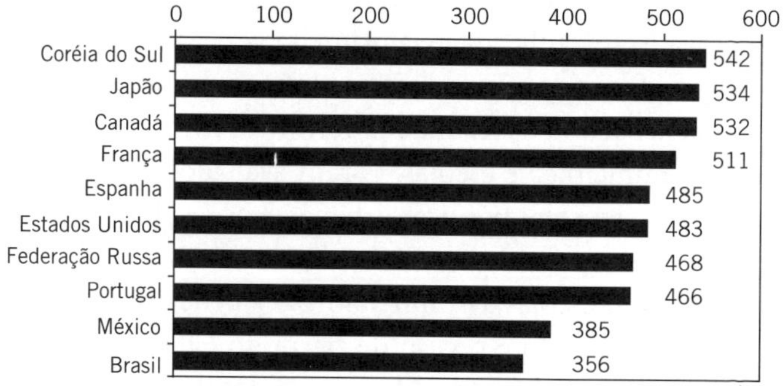

Fonte: MEC/Inep; Pisa 2003, Relatório Nacional.

Gráfico 6. Pisa 2000 – Desempenho médio no exame de leitura, associado ao índice de riqueza familiar dos estudantes, em países selecionados

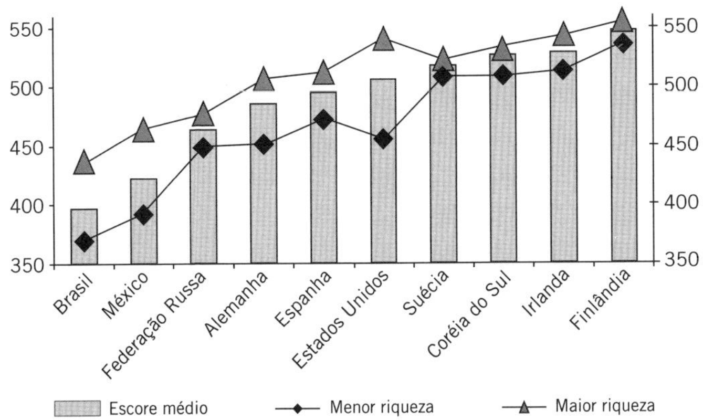

Fonte: OCDE; Pisa 2000.

Os resultados do Brasil são ainda mais preocupantes porque a amostra de alunos brasileiros de 15 anos avaliados pelo Pisa não é representativa do conjunto de estudantes dessa faixa etária, mas somente dos alunos que cursavam da sétima série em diante, os quais representam pouco mais de 50% da matrícula, devido ao atraso escolar.

Em suma, os resultados de desempenho da educação básica brasileira, medidos por diferentes avaliações nacionais e internacionais, confirmam a baixa qualidade do ensino e as dificuldades constatadas pelas avaliações do ensino superior do país. Os poucos alunos que logram completar o ensino médio e ingressam no ensino superior não possuem o domínio das competências e habilidades que deveriam adquirir na educação básica, tais como capacidade de leitura, de solução de problemas, de fazer uso de informações e conhecimentos científicos para resolver questões e enfrentar os desafios de um mundo cada vez mais complexo.

Políticas para a melhoria da qualidade da educação básica

O diagnóstico sobre a situação atual da educação brasileira aqui apresentado procurou mostrar que o grande desafio do país é melhorar a qualidade da educação básica. Essa é uma tarefa difícil, que só será realizada com políticas de Estado, para evitar descontinuidades provocadas por mudanças de governo, e o real compromisso da nação com ações de longo prazo, definidas a partir das evidências apontadas por vários estudos e pesquisas nacionais e internacionais.

Para implementar políticas que superem as deficiências atuais, parece-me importante destacar quatro eixos estratégicos de intervenção para viabilizar a melhoria gradual da qualidade da educação. São eles:

(a) financiamento e prioridades do investimento em educação;
(b) revisão das carreiras, formação e incentivos aos professores;
(c) reorganização dos sistemas de ensino com forte ênfase na gestão da escola e da aprendizagem;
(d) currículo, metas de aprendizagem, avaliação e alfabetização.

(a) Financiamento e prioridades do investimento em educação

Responsáveis por 65% das matrículas de educação infantil, 90% do ensino fundamental e 87% do ensino médio, as secretarias municipais e estaduais de educação ainda não resolveram questões diretamente ligadas ao cotidiano das escolas. Há problemas básicos de funcionamento não resolvidos: escolas sem manutenção; salas de aula com sistemas de iluminação, ventilação e acústica totalmente inadequados; número insuficiente de professores e funcionários; poucos materiais didático-pedagógicos para apoiar o trabalho dos professores em sala de aula; turmas excessivamente lotadas nas séries iniciais de alfabetização; alunos que demandam ensino médio diurno, mas as vagas são noturnas; falta de espaço para atividades extracurriculares, muitas vezes até para aulas de educação física previstas no currículo.

O problema mais grave, entretanto, é o reduzido número de horas que os alunos passam na escola, em média quatro, sem contar as inúmeras redes de ensino que ainda são obrigadas a trabalhar com quatro turnos por dia. Todos os países com sistemas de ensino mais efetivos adotam turno médio de seis horas. Estudos da OCDE mostram que o tempo de permanência dos alunos brasileiros na escola equivale a quase dois terços do tempo de permanência na escola dos alunos finlandeses e à metade do tempo de permanência na escola dos estudantes coreanos. Também o Saeb demonstra que o tempo na escola está diretamente associado ao desempenho dos alunos. Para ampliar a jornada escolar será inevitável aumentar os recursos destinados à educação, bem como os vincular a metas e resultados de qualidade a serem alcançados pelas escolas públicas. A maior prioridade hoje é assegurar no mínimo cinco horas/dia para todos os alunos, ampliando progressivamente o tempo na escola, o que exige mais recursos para a educação.

O financiamento da educação básica é assegurado pelos estados e municípios, responsáveis respectivamente por 45% e 40% do financiamento, complementados em 15% pelo governo federal. Nos oito anos do Fundo de Manutenção e Desenvolvimento do Ensino Fundamental (Fundef) já foi possível promover melhor repartição dos recursos vinculados à educação, com impacto redistributivo mais significativo nos municípios das regiões Norte e Nordeste, onde se concentravam as maiores carências educacionais, o que permitiu a universalização do acesso ao ensino fundamental. Agora é possível dar um passo além e cobrar resultados de qualidade vinculados ao aumento de recursos. Para isso, será preciso uma ação concertada entre cada estado e seus municípios, respeitado o regime de colaboração com o governo federal, para que os problemas específicos de cada unidade da Federação possam ser enfrentados com mais recursos, assistência técnica e cobrança de resultados.

O Fundo de Manutenção e Desenvolvimento da Educação Básica (Fundeb), recentemente transformado em lei, é um importante instrumento para o planejamento do gasto nos diferentes níveis e modalidades da educação básica, abrangendo desde a educação infantil até o ensino médio. Para cumprir suas finalidades, porém, o Fundeb requer permanente aperfeiçoamento, fiscalização e avaliação para evitar distorções e desvio das prioridades. Como os recursos são distribuídos de acordo com o número de alunos contabilizados pelo censo escolar, será preciso um constante controle externo para evitar fraudes e a multiplicação de cursos de péssima qualidade, como vem ocorrendo na educação de jovens e adultos.

Outro tema importante refere-se à educação infantil, que atende crianças de zero a seis anos. Ampliar a oferta para essa faixa etária é tarefa inadiável, como demonstram inúmeras pesquisas, incluído o próprio Saeb. Mas é preciso ter cautela e priorizar adequadamente o atendimento. Países ricos e desenvolvidos ainda não universalizaram a oferta de educação infantil e estão priorizando a universalização do atendimento gradual das crianças de cinco e quatro anos de idade, como nos EUA e na Alemanha. No caso brasileiro, será preciso formular estratégias e parcerias com o setor privado para ampliar o atendimento em creches e progressivamente universalizar a pré-escola, que atende crianças de quatro e cinco anos. Não há recursos ilimitados e não se pode deixar de lado a prioridade à qualidade da educação fundamental obrigatória.

No caso do ensino médio, será preciso rever sua estrutura de funcionamento, ampliar o tempo de duração do turno diurno e melhorar as condições de funcionamento dos laboratórios de ciências e informática, cruciais para a preparação mais adequada dos jovens, além de mudanças necessárias na organização curricular e diversificação do sistema.

(b) Revisão das carreiras, formação e incentivos aos professores

É impossível incrementar a qualidade do ensino sem melhorar substancialmente a carreira, a formação e os salários dos professores. Qualquer mudança de fundo na qualidade da educação depende essencialmente de professores bem qualificados e motivados. O professor é o ator central do processo de melhoria da qualidade da educação. A melhoria dos salários dos professores vinculada à criação de incentivos à carreira mediante avaliação de desempenho é também prioridade central para apurar a qualidade da educação.

A melhoria no perfil da distribuição dos recursos proporcionada pelo Fundef resultou em aumentos salariais para o magistério, como decorrência direta da obrigatoriedade imposta aos estados e municípios de destinar no mínimo 60% dos recursos a essa finalidade. A remuneração média do magistério público aumentou nas redes estaduais e municipais de ensino, em todos os níveis de formação e em todas as jornadas de trabalho. Os ganhos salariais médios foram, aliás, maiores nas redes municipais do que nas estaduais. Do ponto de vista regional, o aumento médio mais expressivo foi registrado nas redes municipais da região Nordeste, onde a remuneração era pior do que no resto do país.[23] Mas a remuneração dos professores ainda é muito baixa quando comparada à de outras profissões de nível equivalente. Para atrair jovens talentos para o magistério é indispensável a melhoria do salário inicial e da estrutura da carreira.

Hoje a maioria dos professores já possui nível superior completo, em conseqüência das mudanças induzidas pelo Fundef e pela LDB. Até 1995, o número de professores leigos, ou com formação básica, era de 132 mil, representando 9% do total – a maioria dos quais nas escolas do Norte e do Nordeste. Hoje eles representam pouco mais de 1%. O ensino fundamental, que possuía apenas 41% dos professores com nível superior completo em 1995, hoje já conta com quase 70% do corpo docente com a formação mínima exigida pela legislação. No ensino médio, mais de 85% dos professores possuem nível superior completo, muitos deles com cursos de pós-graduação.[24]

Apesar dos avanços, a situação ainda é muito precária. Um relatório recente, elaborado pelo Conselho Nacional de Educação e divulgado pela imprensa, aponta um déficit de mais de 280 mil professores de ciências e matemática. Além do déficit de professores em algumas áreas, todas as avaliações apontam deficiências de formação inicial, fato comprovado até mesmo pelos concursos públicos realizados em vários estados e municípios, onde milhares de candidatos não atingem a pontuação mínima. Isso porque nossos professores formam-se, em geral, em cursos noturnos de baixa qualidade. O mais grave é o efeito cumulativo deste processo, pois a formação inadequada ou insuficiente dos professores que atuam nas séries iniciais é seguramente um dos principais fatores responsáveis pelo baixo desempenho dos alunos em leitura e escrita nas séries iniciais, o que leva ao fracasso escolar nas séries subseqüentes.

Também precária é a situação dos rendimentos da carreira do magistério. Segundo Schwartzman,[25] a remuneração dos professores é baixa quando comparada à de outras profissões com nível de formação semelhante. Nas palavras do autor:

> Pela Pnad 2005, o rendimento médio mensal de todos os trabalhos de um professor com nível superior ensinando na educação fundamental ou média varia de mil a 1.500 reais mensais, comparado com os rendimentos médios dos médicos (5.763,00), engenheiros civis (4.037,00), analistas de sistemas (3.724,00) e contadores ou auditores (3.104,00). Chama a atenção também a grande disparidade salarial entre pessoas de formação superior que atuam nas universidades e as que atuam no ensino básico, de mais de 100%.[26]

Além disso, o autor indica que os salários de nossos professores perdem também nas comparações com outros países de nível semelhante de desenvolvimento.

Na mesma direção, pesquisa realizada por Moura Castro e Yoschpe[27] sobre a remuneração dos educadores na América Latina mostra que os professores da educação básica no Brasil estão em desvantagem em relação aos países vizinhos. Nossos salários são piores do que os da Argentina, do Chile, do Uruguai, da Colômbia e do México para o exercício das mesmas funções e o mesmo número de horas trabalhadas.

Ora, a única maneira de atrair bons professores e fixá-los, evitando que a carreira do magistério seja considerada opção de segunda linha, é aumentar seus rendimentos e passar a vincular a progressão na carreira ao desempenho e aos resultados obtidos nas escolas onde atuam. Hoje, um dos maiores problemas das redes públicas é o absenteísmo dos professores, a falta de incentivos à carreira e o excesso de licenças médicas, em todos os estados brasileiros. A grande dificuldade dos gestores é como garantir professor em sala de aula, mesmo em situações em que o número de professores por aluno segue padrões internacionais, como no caso do Distrito Federal, que possui em média 20 alunos por professor. Vários estados, como São Paulo, Minas Gerais e Rio Grande do Sul, enfrentam problemas parecidos: há professores em número suficiente, mas as escolas sofrem permanentemente com faltas de professores.

Um dos grandes problemas do setor público no Brasil é a estabilidade no emprego, independentemente do desempenho. No caso dos professores, os baixos salários são recompensados pela aposentadoria integral depois de 25 anos de trabalho, mesmo para aqueles com desempenho medíocre. Além disso, os professores dedicados e comprometidos não recebem incentivos por seu desempenho, não têm nenhum estímulo para permanecer na carreira e se aprimorar. Eles pagam o preço dos colegas menos responsáveis e muitas vezes se desanimam ou optam por empregos melhores.

Vários estudos internacionais têm apontado inovações importantes nas carreiras do magistério. Pesquisa desenvolvida pelo Programa de Promoção da Reforma Educativa na América Latina (Preal) identifica inúmeras iniciativas em diferentes países que vinculam o desempenho a incentivos na carreira.[28] Nos EUA, vários estados estão implantando sistemas de avaliação e certificação dos professores com o objetivo de estabelecer salários e incentivos diferenciados por desempenho. No México e na Inglaterra, professores com desempenho de excelência recebem bônus. Relatório da OCDE[29] analisa as carreiras docentes em 25 países e indica importantes mudanças em curso nas políticas de recrutamento e contratação de professores. Incentivos para os que atuam em áreas de risco, apoio e auxílio-transporte para os que trabalham em áreas distantes, diferenças nos pagamentos de impostos, benefícios sociais como moradia e plano especial de atenção à saúde estão entre as principais medidas adotadas por mais de 20 países da Comunidade Européia, com prioridade aos que apresentam melhor desempenho.

No Brasil, a folha de pagamento das secretarias municipais e estaduais de educação absorve em média de 75% a 80% do orçamento. Em muitos casos, o comprometimento com salários ultrapassa 90% dos recursos disponíveis. Como os estados e municípios empregam mais de 2,5 milhões de professores de educação básica, há pouca margem de manobra para aumentar os salários. A única possibilidade de melhoria da carreira docente é a implantação de salários diferenciados mediante desempenho. Para isso, o ideal seria estabelecer sistemas de avaliação dos professores vinculados aos resultados das escolas, como já vem fazendo o estado de Minas Gerais. Pesquisas indicam que é fundamental valorizar o esforço do conjunto dos profissionais que atuam numa mesma escola para melhorar seus resultados. Não é recomendável fomentar a competição entre os professores de uma mesma escola, deve-se valorizar o trabalho do conjunto da equipe.

(c) Organização e gestão dos sistemas e das escolas

Num sistema federativo como o nosso, a gestão da educação básica é de grande complexidade. De alguma maneira, diferentes fatores que influenciam o bom andamento das escolas públicas têm relação com os três níveis de governo em graus diferenciados. O governo federal não tem como chegar às 200 mil escolas públicas do país, mas exerce funções importantes para o funcionamento do sistema. As redes estaduais, em geral muito grandes, apresentam enormes dificuldades de gestão que afetam o cotidiano das escolas. As redes municipais, que geralmente não sofrem do gigantismo burocrático das máquinas estaduais, têm mais dificuldades técnicas e falta de pessoal mais qualificado. As áreas metropolitanas, que concentram mais de 50% do alunado, apresentam talvez os problemas de gestão mais difíceis, agravados pela questão da violência urbana.

No caso da educação básica, o papel do governo federal, em especial do Ministério da Educação, é suplementar ao dos estados e municípios, mas de grande importância. Ao MEC compete coordenar a política nacional de educação; produzir informações e avaliações para subsidiar políticas; corrigir distorções do sistema; induzir políticas de eqüidade; e oferecer apoio técnico e financeiro aos estados e municípios, de modo a reduzir as desigualdades internas do sistema e promover educação de qualidade para todos. Talvez o mais importante papel do MEC seja provocar mudanças e estabelecer um diálogo permanente com os entes federados e a sociedade em torno de metas e objetivos comuns. O MEC não deve entrar em conflito ou se sobrepor aos demais níveis de governo, que operam diretamente as redes de ensino.

Já os problemas das redes estaduais e municipais são de outra natureza. Em geral, falta uma ação mais articulada entre cada estado e seus municípios para definir prioridades e integrar ações. Muitas vezes, estados e municípios competem entre si por alunos e recursos. Especialmente no ensino fundamental, cuja oferta é compartilhada por estados e municípios, ocorre uma grande desarticulação do ponto de vista operacional e organizacional. Uma ação integrada poderia evitar turmas excessivamente lotadas, melhor uso dos espaços disponíveis, ou mesmo assegurar um tempo maior de permanência dos alunos em algumas escolas. Outra dificuldade é a falta de uma base curricular comum entre as escolas estaduais e municipais, o que muitas vezes acaba prejudicando os alunos que cursam as séries iniciais em escolas municipais e enfrentam dificuldades nas séries finais, em geral oferecidas pelas redes estaduais.

O maior problema, contudo, é a ausência de profissionalismo de gestão, que ocorre em vários estados e municípios, muitas vezes agravado por pressões políticas, empreguismo e ingerência direta nas escolas. As secretarias de Educação são os grandes empregadores do setor público. A gestão de recursos humanos e o gigantismo da máquina são os maiores problemas das secretarias, que não estão devidamente preparadas para gerir organizações tão complexas e orçamentos vultosos. O cotidiano das secretarias é regido pela falta de professores nas escolas, problemas de manutenção da rede física, ausência de mecanismos flexíveis para atender às emergências. Faltam quadros técnicos mais preparados nas estruturas centralizadas e intermediárias das secretarias, e é fundamental investir nas capacidades institucionais das secretarias e redes de ensino para viabilizar a melhoria da qualidade, como apontou recente artigo de Norman Gall.[30]

Além das dificuldades assinaladas, a gestão das escolas é prejudicada tanto pela falta de professores e funcionários como pelo reduzido grau de autonomia que possuem para funcionar melhor. A literatura internacional traz fortes evidências sobre como funcionam as boas escolas e o que caracteriza um sistema educacional efetivo.[31] Primeiro, há evidências de que as escolas com maior autonomia administrativa e financeira são mais eficientes. Cabe às secretarias comandar o processo, definir diretrizes gerais, garantir o andamento das rotinas básicas das escolas, monitorar e supervisionar o funcionamento da rede, avaliar e cobrar resultados. Para isso, é preciso fixar metas e expectativas de aprendizagem, a partir de uma base curricular comum e das diretrizes nacionais, que orientem o monitoramento e a avaliação dos resultados. Assim, é possível identificar escolas com dificuldades e apoiá-las. Os bons resultados devem ser valorizados e estimulados.

Outro ponto diz respeito às equipes das escolas. O próprio Saeb, assim como a Prova Brasil, mostra que escolas com equipes mais estáveis e bons diretores apresentam melhor desempenho. É preciso comprometer os professores com as metas e os resultados de aprendizagem, e, para isso, é fundamental que as equipes das escolas sejam mais estáveis. Os diretores devem comprometer-se com as metas estabelecidas, e as secretarias devem assegurar condições adequadas de funcionamento das escolas.

Em muitos estados e municípios observa-se grande rotatividade de professores e diretores. Às vezes, diretores descomprometidos permanecem muito tempo na função sem que lhes seja cobrado nenhum resultado. É preciso estabelecer regras que definam as obrigações e sanções das equipes responsáveis pelas escolas. É preciso incentivar as boas escolas, dar mais autonomia aos diretores para montar suas equipes e cobrar resultados de acordo com as metas definidas pelas secretarias. Algumas iniciativas no Brasil são bastante inovadoras no campo da gestão, como as de Tocantins, Acre, Minas Gerais e Pernambuco. Os quatro estados estão ampliando a autonomia das escolas, cobrando resultados com base em contratos de gestão e planos de metas definidos para cada unidade, avaliação externa permanente e sistema integrado de supervisão. O último Saeb de 2005 já indica os avanços desses estados nos resultados de desempenho do ensino fundamental.

Outro aspecto crucial é eliminar a ingerência política na escolha de diretores e quadros intermediários de direção das secretarias de Educação. Hoje, cerca de 60% dos diretores de escolas no Brasil são escolhidos segundo critérios políticos. Os dados do Saeb revelam que o perfil técnico dos diretores, sua capacidade de liderança e gestão são características fundamentais das boas escolas públicas. No lado oposto, a burocratização da escolha de diretor, segundo critérios exclusivamente ligados à carreira, também não parece muito recomendável, pois permite elevada rotatividade, além de não valorizar os diretores mais dedicados e comprometidos. Em um sistema de ensino com alta rotatividade de professores e diretores torna-se praticamente inviável desenvolver um projeto pedagógico de qualidade, pois, além da descontinuidade, torna-se difícil construir laços de coesão e de identidade entre os membros da equipe da escola. A boa escola pública requer grande compromisso dos professores com a aprendizagem dos alunos, uma equipe motivada e integrada e forte articulação com a comunidade.

Por fim, a participação das famílias e as parcerias com o setor privado ou organizações não-governamentais são aspectos importantes para a boa gestão da escola e a melhoria da aprendizagem. Vários estudos, o Pisa entre eles, destacam a participação e o envolvimento dos pais na vida escolar de seus filhos como condição essencial para o bom aproveitamento e maior motivação dos alunos. Também as parcerias com ONGs e fundações em projetos inovadores têm apresentado importantes resultados para a melhoria da escola. Projetos de capacitação em gestão, aceleração da aprendizagem, identificação de talentos, trabalhos de voluntariado, círculos de leitura, protagonismo juvenil, atividades complementares pós-escola, além de parcerias diretas de empresas na gestão de escolas, como a experiência de Pernambuco e da Embraer, têm tido resultados excelentes. Seria importante aprofundar o conhecimento sobre essas iniciativas e seu impacto sobre o desempenho das escolas.

(d) Currículo, avaliação e responsabilização (accountability)

Desde 2006, o ensino fundamental obrigatório do país passou a ter nove anos de duração, abrangendo alunos de seis a 14 anos de idade. O grande problema, porém, permanece: como garantir a alfabetização efetiva das crianças nas séries iniciais para que possam prosseguir com sucesso até a etapa final da educação básica. Ou seja, nossas escolas não estão sendo capazes de fazer com que as crianças aprendam a ler, escrever, contar, somar, multiplicar, dividir e ter as noções iniciais de ciências, como mostra o Saeb.

Sabe-se que a qualidade das estratégias de ensino dos professores e da sala de aula são mais importantes do que qualquer outro fator para assegurar a aprendizagem. No caso brasileiro, além das dificuldades já mencionadas, há um problema básico ainda não resolvido: o que e como ensinar.

Um bom projeto pedagógico, como salienta Soares,[32] deve mostrar o conteúdo e o modo de ensinar. Para isso, toda escola deveria incluir em seu projeto:

(i) os valores básicos que seus alunos devem desenvolver, tais como sociabilidade, respeito às diferenças, ética, solidariedade e cooperação no trabalho em equipe;

(ii) as competências cognitivas que todos devem adquirir e as teorias de como aprender e como ensinar – não há uma única pedagogia;

(iii) as rotinas básicas da escola: uso do tempo escolar; monitoramento do aprendizado e uso dos resultados das avaliações para melhorar o desempenho de todos os alunos.

Como costuma ocorrer em estruturas federativas, o Brasil não possui currículo único. Há exemplos interessantes em alguns países federalistas, como a Austrália, que estabeleceu "*standards* de aprendizagem" a serem observados por todos os estados, respeitando porém a autonomia dos níveis inferiores de governo. No caso brasileiro, um dos grandes entraves à melhoria da qualidade é a falta de uma base curricular comum aos diferentes sistemas de ensino estaduais e municipais, que deveria orientar-se a partir de padrões mínimos nacionais ou expectativas a serem atingidas em cada série ou ciclo de aprendizagem. Os Parâmetros Curriculares Nacionais (PCNs) representam um referencial importante, mas não indicam que conteúdos curriculares e estratégias de aprendizagem devem ser cumpridos na sala de aula em cada etapa do processo. Nem era esse, aliás, seu objetivo.

As avaliações muito contribuíram para o conhecimento objetivo do que está ocorrendo em nossas escolas. Contudo, o Brasil ainda não definiu as expectativas ou padrões básicos de conhecimento que os alunos devem alcançar ao final de cada ciclo de aprendizagem. Adotar uma base curricular comum e definir expectativas de aprendizagem para cada série ou ciclo devem ser prioridades de todos os sistemas de ensino, com ênfase na alfabetização, leitura, escrita e nos conceitos básicos de matemática e de ciências. É urgente garantir que todas as crianças de oito anos estejam alfabetizadas para que continuem aprendendo com sucesso.

Algumas iniciativas relevantes começam a despontar. Em Minas Gerais, já se implantou um sistema de avaliação das crianças de oito anos, para medir o grau de alfabetização dos alunos, identificar suas dificuldades e estabelecer as estratégias de intervenção necessárias para garantir a aprendizagem de todos. Em São Paulo, um programa de leitura e escrita com professores auxiliares nas séries iniciais, formação em serviço e material didático específico procura assegurar a efetiva alfabetização das crianças.

Para apurar a qualidade também é preciso que a escola conheça e entenda o sentido pedagógico das avaliações, de modo a usar os resultados obtidos para melhorar o trabalho em sala de aula e garantir a efetiva aprendizagem. É fundamental que as equipes das secretarias conheçam e analisem os testes aplicados nas avaliações nacionais e estaduais. Todos os professores devem saber o que as avaliações estão medindo e o que significam os números que medem o nível de aprendizado dos alunos. Não adianta investir em avaliações sucessivas se a escola e seus professores não estão claramente informados sobre o que fazer com seus resultados. É preciso investir na capacitação institucional de professores e coordenadores pedagógicos na área de avaliação da aprendizagem. Infelizmente, poucas faculdades de educação incluem em seus currículos temas relacionados à avaliação. Nem mesmo os relatórios do Saeb, do Enem e do Pisa constam dos programas de formação de professores.

Não menos importante é a prestação de contas à sociedade. Assim como os professores, os pais e a sociedade também precisam entender melhor os instrumentos e os resultados das avaliações externas para que possam fiscalizar e cobrar mais das escolas de seus filhos. Os pais gostam de informação clara, precisa, simples e de fácil compreensão. Evitar a publicação dos resultados das avaliações externas é um debate superado em todos os países com sistemas consolidados de educação. Nessa área, é essencial um sistema de comunicação permanente com todos os segmentos do sistema – professores, alunos, sindicatos, pais, enfim, com toda a sociedade. Na era da informação, a ampla disseminação dos resultados é a chave do processo de melhoria da qualidade. É democrático e saudável divulgar todos os dados, garantir total transparência, prestar contas à sociedade. É também democrático, e direito de todos, aprender os conteúdos e competências básicas.

Nas duas últimas décadas, uma onda de reformas educacionais teve lugar em vários países. A agenda dessas reformas é igual ou muito semelhante em diferentes países, mais ou menos desenvolvidos.[33] Todas as reformas começaram com a implantação de sistemas de avaliação externa, mas a real transformação só ocorre quando a escola usa os resultados para melhorar seu desempenho e a sociedade fiscaliza a qualidade da educação. Para isso, é preciso ter metas e padrões ambiciosos, boas condições de trabalho para professores e alunos, informação de qualidade, intensa comunicação com a sociedade e responsabilização das escolas por seus resultados.

Notas

1. O PDE pode ser acessado no site do MEC: www.mec.gov.br. Informações sobre o compromisso "Todos pela educação" podem ser encontradas no site www.todospelaeducacao.org.br.

2. Castro, Cláudio. *O estado de uma nação.* Ipea, 2006 (cap.3).

3. Azevedo, Fernando de. *A cultura brasileira: Introdução ao estudo da cultura no Brasil.* São Paulo, Melhoramentos, 1968 [1940]; Teixeira, Anísio. *Educação não é privilégio.* Rio de Janeiro, Ed. UFRJ, 1994.

4. Marcílio, Maria Luiza. *História da escola em São Paulo e no Brasil.* São Paulo, Imprensa Oficial do estado, vol.1, 2005.

5. Souza, Paulo Renato de. *A revolução gerenciada: Educação no Brasil, 1995-2002.* São Paulo, Prentice Hall, 2005.

6. Klein, Ruben. *Como está a educação no Brasil? O que fazer?* Ensaio: avaliação e políticas públicas em educação, F. Cesgranrio, Rio de Janeiro, n.51, vol.14, abril-junho 2006.

7. Inep, Censo Escolar 1996.

8. Inep, 1999. Disponível no site www.inep.gov.br.

9. Menezes Filho, Naercio. *Os determinantes do desempenho escolar do Brasil.* Instituto Futuro Brasil/ Ibmec-SP/ FEA/USP, 2007. *Paper* não publicado.

10. Utilizam-se três indicadores para medir a abrangência da cobertura escolar: Taxa de Escolarização Líquida, que indica o percentual de crianças de sete a 14 anos matriculadas no ensino fundamental em relação ao total da população nessa faixa etária; Taxa de Atendimento, que aponta o percentual de crianças de sete a 14 anos atendidas pelo sistema escolar, independentemente do nível de ensino; Taxa de Escolarização Bruta, que mostra a relação entre o total da matrícula do ensino fundamental, independentemente da faixa etária dos alunos, e o total da população de sete a 14 anos.

11. Uma boa análise dos resultados da Pnad 2005 sobre a situação da educação pode ser encontrada em Klein, Ruben, "O sonho possível", *O Globo*, primeiro caderno, 23 mar 2007; e Schwartzman, Simon. *Redução da desigualdade, da pobreza, e os programas de transferência de renda,* IETS, Rio de Janeiro, 2006.

12. O Censo Escolar de 2006 indica que 45% das matrículas do ensino médio estão concentradas em cursos noturnos. Esse percentual, que era de 56% em 1996, vem caindo sistematicamente. No mesmo período, as escolas públicas reduziram essa proporção de 63% para 52%. No ensino fundamental, o turno noturno responde ainda por 7% da matrícula total, fenômeno associado à distorção idade/série. Ver: www.inep.gov.br.

13. Klein, Ruben, op.cit.

14. Que pode ser consultado no site do IBGE: www.ibge.gov.br.

15. Schwartzman, Simon, op.cit.

16. O quadro e a metodologia de sua criação estão disponíveis no site http://www.race.nuca.ie.ufrj.br/ceae/andreadc/relatoriosaeb/31.html.

17. Soares, Francisco. *Qualidade e eqüidade na educação básica brasileira: fatos e possibilidades;* Colin Brock e S. Schwartzman (orgs.). *Os Desafios da Educação no Brasil,* Rio de Janeiro: Ed. Nova Fronteira, 2005, cap. 3; e Menezes Filho, op.cit.

18. Todas as observações sobre os fatores associados aos resultados do Saeb examinados neste item apóiam-se nas seguintes pesquisas: Menezes Filho, op.cit.; Francisco Soares, op.cit.; Ruben Klein, op.cit.; e Creso Franco et allii. *Investigando práticas e políticas escolares moderadoras das desigualdades educacionais,* PUC-Rio, Dep. Educação, 2005.

19. O Programa Internacional de Avaliação de Alunos (Pisa, na sigla em inglês) é realizado pela OCDE (Organização para a Cooperação e o Desenvolvimento Econômico) a cada três anos, sendo aplicado em 57 países a estudantes de 15 anos em média. O Pisa estabelece um ranking internacional dos sistemas educacionais com base no desempenho dos alunos em provas de conhecimentos e habilidades de leitura, matemática e ciências. Cada prova tem aproximadamente 80 questões de igual conteúdo para todos os países, independente dos currículos específicos dos países participantes.

20. Menezes Filho, op.cit.

21. Os resultados do Sistema Nacional de Avaliação da Educação Básica (Saeb) do Enem e do Pisa demonstraram que o nível de desempenho dos alunos cai à medida que aumenta a distorção idade/série. Ver relatórios do Saeb e do Pisa no site do Inep: www.inep.gov.br.

22. Sobre isso, ver: www.pisa.oecd.org.

23. Souza, Paulo Renato de. *A revolução gerenciada: Educação no Brasil, 1995-2002.* São Paulo, Prentice Hall, 2005.

24. Inep, 2006.

25. Schwartzman, Simon (org.). *Documento da Academia Brasileira de Ciências para a educação básica e o ensino de ciências* (mimeo.), 2007.

26. Ver Schwartzman, Simon, op.cit., p.14-5.

27. Moura Castro, C. e Yoschpe, G. *Remunerações dos professores na América Latina,* 2007. Disponível no site www.preal.org.

28. Vaillant, Denise. *Estudo sobre formação e desenvolvimento profissional docente,* Coordenação do Programa de Desenvolvimento Profissional Docente na América Latina/GTD do Preal e Inter-American Dialogue, 2007. Disponível no site www.preal.org.

29. OCDE, 2005. *Attracting, Developing and Retaining Effective Teachers.* Ver: www.ocde.org.

30. Ver o site do Instituto Fernand Braudel: www.fernandbraudel.org.

31. A respeito, ver: Soares, Francisco. *Melhoria do desempenho cognitivo dos alunos no Ensino Fundamental.* São Paulo, Moderna, 2007.

32. Idem.

33. Ver, a respeito: Hopkins, David. *Improving Schools,* Open Univ. Press, Londres, 1999; e artigo do mesmo autor, "15.000 Hours", mimeo.

A saúde tem jeito?

ADIB D. JATENE

Direito do cidadão, dever do Estado

A pergunta "a saúde tem jeito?" tem sido recorrente ao longo de minha vida. Sempre que sou entrevistado, ela aparece. Certamente porque estou há 54 anos no exercício profissional e, em conseqüência, vivi toda a evolução do setor, participando ativa e ininterruptamente, e testemunhando as grandes mudanças que ocorreram ao longo dessas mais de cinco décadas. Eu tinha terminado o ginásio quando explodiu a bomba atômica, primeiro em Hiroshima, depois em Nagasaki, encerrando a Segunda Grande Guerra.

Desde então o mundo e o Brasil foram lançados em uma espiral de conquistas e desenvolvimentos que nos levaram à biologia molecular, à engenharia genética, à fertilização artificial, à corrida espacial, às técnicas de imagem com tomografia computadorizada, ressonância nuclear magnética, ultra-som, medicina nuclear e às grandes contribuições da indústria de equipamentos, de medicamentos; aos mais diferentes testes de laboratório, e ao entendimento dos mecanismos imunológicos que permitiram o transplante de órgãos. Em conseqüência, novas técnicas, invasivas e não-invasivas, foram sendo incorporadas, gerando especialidades e subespecialidades que fragmentaram a pessoa humana, que passou, diante da doença, a depender de vários profissionais. Isso melhorou o diagnóstico, trouxe novas e mais eficientes técnicas de tratamento, mas a um custo não acessível à maioria da população do planeta. A conseqüência tem sido a participação governamental crescente, com as limitações orçamentárias que frustram as expectativas de todos os envolvidos.

A correção de qualquer situação desfavorável para ser proposta de forma conveniente pressupõe um diagnóstico preciso das razões que provocaram a deficiência, sejam elas a análise das medidas preventivas que deixaram de ser tomadas ou o foram de forma insuficiente, as metas a serem alcançadas para que se considere o problema corrigido, os meios administrativos, tecnológicos e financeiros a serem aplicados e até a definição de quem deve ser o responsável pela correção.

Procurar identificar responsáveis para estigmatizar culpados não ajuda e geralmente distorce o correto entendimento do problema. É indispensável montar com propriedade e total isenção a equação que envolve as variáveis. Ocorre que na análise do setor da saúde o grande número de variáveis a ser considerado não só dificulta enormemente o entendimento do que está ocorrendo, como desqualifica muitas propostas de correção.

O diagnóstico da situação atual da saúde obriga a consideração de alguns fatos que ocorreram a partir do final da Segunda Guerra Mundial de 1939 a 1945. O ritmo do desenvolvimento material acelerou-se como nunca antes na história da humanidade, com uma transição demográfica, epidemiológica, ecológica e tecnológica muito mais rápida do que a capacidade de adaptação a ela, particularmente nos países menos desenvolvidos.

A transição demográfica mostra dois grandes componentes: a urbanização e o envelhecimento da população. No Brasil, em 1950, a população de 51 milhões de habitantes vivia, de modo predominante, na zona rural. Enquanto todas as cidades brasileiras, somadas, acumulavam 18 milhões de habitantes, no campo havia 33 milhões. Essa urbanização que se fez, lentamente, ao longo de mais de 400 anos estabelecia um equilíbrio entre as diferentes categorias da população. Embora existisse desigualdade, ela não impedia que todos vivessem em um certo equilíbrio, com atendimento das necessidades básicas de toda a população urbanizada. Praticamente não havia desempregados entre os habitantes das cidades, e as necessidades, tanto na área da educação quanto na da saúde, tiveram o tempo necessário para que fossem atendidas. Embora o número de médicos fosse insuficiente, sua falta era compensada pela medicina popular, largamente utilizada. As escolas públicas, que complementavam as confessionais e particulares, ministravam o melhor e mais eficiente ensino. Por outro lado, a vida no campo era mais primitiva, com a produção agrícola e pecuária de manutenção e com os excedentes gerados suficientes para alimentar a população urbanizada, em número bem menor. Nesses 56 anos, a população do país passou a 180 milhões de pessoas, significando, portanto, um crescimento de 346%. Enquanto isso, a urbanização alcançou mais de 150 milhões de habitantes, ou índice de 870% de aumento. Assinale-se que essa população é em sua absoluta maioria constituída por pessoas de baixo nível educacional e tecnológico; portanto, baixa capacidade contributiva. Também a legislação para legalizar loteamentos contribuiu, com suas exigências, para encarecer o preço dos lotes, levando a invasões desordenadas, nelas incluindo áreas de mananciais. A conseqüência foi a criação, nas grandes cidades, de áreas com acumulação de massas significativas de população, onde os profissionais que ela necessita não aceitam morar. Isso dificulta a oferta dos serviços essenciais, entre eles os de saúde.

Ao lado da mudança que ocorreu na ocupação do espaço geográfico, assinale-se que nesse período houve uma transformação importante na expectativa de vida da população brasileira, que era de 47 anos em 1950 e hoje ultrapassa os 70 anos. Esse envelhecimento significa uma necessidade crescente de atendimento ao idoso e não apenas na área da saúde, mas também na assistência e na previdência social, cuja prioridade consome recursos significativos, dificultando a obtenção daqueles necessários ao atendimento do setor da saúde.

A transição epidemiológica igualmente se fez de forma acelerada. A introdução dos antibióticos modificou a expectativa das doenças infecciosas, e o desenvolvimento de vacinas permitiu eliminar doenças e controlar, preventivamente, afecções que, ao lado de mortalidade elevada, deixavam seqüelas de difícil solução. Isso contribuiu para a redução da mortalidade infantil e o aumento da expectativa de vida. Na década de 1970, a varíola foi considerada extinta; nos anos 1990, a poliomielite foi eliminada na maioria dos países. Na década seguinte foi a vez de o sarampo ser praticamente erradicado. É oportuno ressaltar que o Brasil foi o primeiro país de dimensões continentais a experimentar a técnica proposta por Albert Sabin de vacinar em um único dia todas as crianças menores de cinco anos. Em junho de 1980 foram vacinadas em um dia 20 milhões de crianças. Essa vacinação foi repetida em agosto e desde então realizada anualmente. Foi com base na experiência brasileira que a OMS, em 1985, decidiu expandir essa estratégia para todo o mundo. No entanto, enquanto isso ocorria, doenças emergentes como a Aids assumiam importância crescente, onerando os sistemas de saúde de todo o mundo. Ao lado disso, doenças reemergentes, como a cólera e a dengue, passaram a exigir cuidados e gastos crescentes.

Também as grandes endemias continuaram a demandar esforços enormes para seu controle. Se a luta contra a doença de Chagas no país pode ser considerada um sucesso, o mesmo não se pode dizer quanto à malária, cuja incidência sofre oscilações de acordo com o incremento ou a redução das medidas preventivas, o que tem sido cíclico. Outras endemias como leishmaniose, tuberculose e hanseníase continuam a exigir esforços e causar preocupação. Por sua vez, um número significativo de doenças sem tratamento medicamentoso passou a contar com drogas capazes não só de controlar sintomas, mas de proporcionar cura, ainda que a um custo exagerado. Assim, um grande arsenal medicamentoso passou a fazer parte dos recursos terapêuticos até então inexistentes, elevando, significativamente, a necessidade de recursos, não disponíveis.

A transição ecológica, desde a devastação das reservas florestais até a poluição do ar, do solo e dos cursos d'água, agregou um complicador de difícil manejo. O uso de combustíveis fósseis e a emissão de gases que interferem na camada de ozônio vêm preocupando os ambientalistas pelo aquecimento da Terra e suas temíveis conseqüências. O fornecimento de água encanada e tratada, atingindo mais de 90% da população urbanizada, sofre o inconveniente de interrupções, o que precisa ser corrigido. Já a coleta de esgotos urbanos, que alcança apenas cerca de 70% da população urbanizada, é, em sua maioria, lançada nos cursos d'água sem qualquer tipo de tratamento, transformando-os todos em esgotos a céu aberto, com graves inconvenientes, especialmente durante o período de chuvas, causador de enchentes e, assim, potencial disseminador de doenças.

Com relação à coleta e ao destino do lixo algo semelhante acontece, com boa parte dele sendo simplesmente depositado em lixões sem qualquer tipo de tratamento, contribuindo para a proliferação de insetos, eventuais vetores na transmissão de doenças. A estimativa para a correção dessas deficiências no saneamento básico implica um volume de recursos não disponível, seja a curto ou médio prazo.

A transição tecnológica, com o extraordinário acúmulo de conhecimentos científicos, mudou completa e definitivamente a abordagem não só das doenças, mas sobretudo da forma de conduzir o tratamento. O fantástico arsenal de diagnóstico, seja por técnicas de imagem, até então insuspeitadas, seja pela introdução de testes laboratoriais capazes de dosar praticamente tudo, mudou, em definitivo, não só o tratamento ambulatorial, mas em especial o hospitalar, com incorporação de técnicas que chegaram ao transplante de órgãos. O desenvolvimento de aparelhos de manutenção das funções vitais e a introdução de próteses e órteses têm sido capazes de manter artificialmente a vida, bem como modificar a história natural de muitas doenças. A hemodinâmica intervencionista, as técnicas endoscópicas, a tóraco e a laparoscopia, a artroscopia são outros avanços que ampliaram significativamente as possibilidades terapêuticas. Como conseqüência, assistimos à multiplicação das especialidades, com 53 já oficialmente reconhecidas, às quais se agregam 54 áreas específicas de atuação. Isso trouxe como resultado a fragmentação da pessoa humana, que, muitas vezes, precisa recorrer a vários especialistas e realizar um grande número de exames para ter um diagnóstico e o conseqüente tratamento. É evidente que a qualidade, tanto do diagnóstico como do tratamento, não tem paralelo quanto ao que se fazia no passado. O custo desse aprimoramento, porém, nem sempre apresenta efetividade equivalente.

Ao mesmo tempo, várias outras profissões além da enfermagem, como psicologia, fisioterapia, fonoaudiologia, terapia ocupacional, se diferenciaram, levando à necessidade da formação de equipes multiprofissionais, cada qual com a incorporação de procedimentos que, mais uma vez, embora beneficiem os pacientes, agregam novos custos que precisam ser absorvidos.

Além de considerar todos esses fatores decorrentes do avanço científico e tecnológico, é preciso esclarecer que, para se atingir a definição de saúde da Organização Mundial da Saúde – estado de bem-estar físico psíquico e social –, é indispensável considerar três tipos de determinantes: patológicas, sociais e políticas.

A determinante patológica tem a ver com as causas das doenças, que podem ser transmissíveis ou não, portanto, colocando em risco a coletividade ou o indivíduo. Podem ou não ter etiologia conhecida e caráter hereditário. Entre as causas conhecidas encontram-se diferentes agentes, desde os biológicos, passando pela poluição atmosférica, até o trauma e a violência. Os agentes biológicos podem atingir apenas a pessoa acometida, como, por exemplo, a infecção intestinal, ou ser transmissível, como, por exemplo, a gripe. A transmissão tanto ocorre de pessoa a pessoa como pode exigir um intermediário, geralmente um inseto, como, por exemplo, a malária ou a dengue. Os agentes transmissíveis de pessoa a pessoa às vezes são combatidos eficazmente por vacinação. Nesses casos a imunização por técnicas adequadas costuma controlar a transmissão e, eventualmente, chegar à erradicação da doença, como nos casos de varíola, poliomielite e sarampo, entre outras. As não-transmissíveis, se infecciosas, podem ser tratadas por antibióticos ou antimicrobianos e, se não-infecciosas, por medicação específica.

A possibilidade de diagnóstico preciso, proporcionado pelo enorme arsenal de técnicas de laboratório e de imagem, obrigou à construção de estruturas ambulatoriais e hospitalares até então insuspeitadas, exigindo crescente e contínuo fluxo de recursos para mantê-las atualizadas. Um hospital, além dos gastos de custeio, precisa dispor de aproximadamente 2,5% do valor atualizado do prédio para reformas, adaptações e manutenção, o que significa dizer que se gasta com o prédio, em 40 anos, o que se gastou para construí-lo. Se esses recursos não estiverem disponíveis o prédio se deteriora, e a conseqüência é a inadequação de suas condições de funcionamento. Por outro lado, é necessário de 15% a 20% do valor atualizado dos equipamentos para substituições, adaptações, os chamados *upgrades*, para evitar que caduquem, em função do espetacular avanço do conhecimento científico. Os equipamentos modernos tornam-se obsoletos em menos de 10 anos. Além disso, uma técnica nova muitas vezes não substitui a anterior, apenas a ela se agrega. É o caso da radiografia simples, por exemplo, que não foi eliminada com todo o "arsenal" subseqüente agregado pela tecnologia médica. Também na área de informática o conhecimento se amplia a cada ano, exigindo adequações.

Por outro lado, a necessidade da vigilância epidemiológica, imprescindível para acompanhar a prevalência e a incidência das doenças, é uma arma indispensável para a programação das ações preventivas, profiláticas e a estratégia de enfrentamento. A vigilância sanitária – que se preocupa com a qualidade de alimentos e de medicamentos, bem como com o controle de portos, aeroportos e fronteiras, e com as boas normas de fabricação, autorizando a comercialização de produtos para a saúde – representa fonte de gastos importantes nem sempre disponíveis, ocasionando índices de doenças inaceitáveis para o nível de conhecimento existente.

As determinantes sociais a que a Organização Mundial da Saúde vem dando ênfase estão interligadas ao fornecimento contínuo e à qualidade da água oferecida à população, ao destino e tratamento dos esgotos residenciais e industriais, à coleta e ao tratamento do lixo, à habitação saudável, ao salário, lazer, à alimentação, enfim, às condições que permitam uma vida saudável. A expressão da importância dessas determinantes encontra-se na afirmação de Michael Mormot, presidente da Comissão sobre Determinantes Sociais de Saúde da OMS, quando salienta que um jovem de 15 anos na África subsaariana tem 6% de possibilidade de chegar aos 65 anos, enquanto um jovem da mesma idade na Suécia tem 93%.

Essa brutal desigualdade está relacionada com a maneira como o mundo evoluiu, estabelecendo desníveis gritantes entre os países e dentro de cada país. No chamado Primeiro Mundo, o desenvolvimento e a urbanização acompanharam a Revolução Industrial a partir do século XVIII. Todo o desenvolvimento tecnológico foi feito nesses países, que exerceram a partir de então forte influência sobre os outros, chamados periféricos, até os transformando em colônias e drenando-lhes a riqueza para seus limites territoriais. Com isso foram progressivamente incorporando os avanços científicos e tecnológicos à medida que iam sendo desenvolvidos e deixando os demais à margem desse desenvolvimento. A eliminação do analfabetismo em muitas dessas nações líderes ocorreu já no final do século XIX. Os produtos industrializados eram vendidos nos demais países apenas à pequena parcela das populações urbanizadas, que tinha condições financeiras para adquiri-los e concorria, de forma predatória, com as iniciativas locais, eliminando oportunidades de trabalho àqueles com baixa qualificação profissional. A luta de Gandhi, na Índia, é bom exemplo dessa situação.

Por outro lado, nações que não participavam da Revolução Industrial viviam próximo às condições que se observavam no século XVII, ou seja, com maioria da população apenas sobrevivendo na zona rural com produção suficiente para satisfazer suas necessidades e com o pequeno excedente sendo oferecido às populações urbanizadas em número menor. O desenvolvimento industrial, nesses países, quando ocorreu, foi predominantemente de produtos de alimentação e vestuário mais simples. O Brasil encontrava-se nessa situação, que só começou a mudar após o término da Segunda Guerra Mundial, especialmente a partir dos anos 1950 e em particular durante o governo de Juscelino Kubitschek, cujo Plano de Metas buscou compensar o atraso em que nos encontrávamos. Ocorre que todos os investimentos e iniciativas, financiados externamente, tinham objetivos materiais, como obras de infra-estrutura, construção de Brasília, implantação de indústrias automobilística, naval etc. e rede de transportes predominantemente rodoviária para integrar o país. Não houve investimentos correspondentes para atender às necessidades das pessoas, como educação, saúde e segurança, entre outras.

O resultado final é que se promoveu uma urbanização rápida e completamente equivocada, colocando grandes massas de população a morar em áreas onde os serviços essenciais e a infra-estrutura não existiam e criando problemas futuros, que hoje temos enormes dificuldades para resolver. Por outro lado, o desenvolvimento predominantemente material, acompanhado de inflação que chegou a limites insuportáveis, criou a categoria das grandes empreiteiras, que construíram Brasília em tempo recorde e precisavam depois de grandes obras para não ficar ociosas. Daí as decisões governamentais que privilegiam esse setor e deixam em segundo plano as obras que poderiam atender às necessidades imediatas das populações mais pobres, confinadas em bairros e municípios-dormitórios, sem acesso à elaboração dos orçamentos, que respondem às demandas das grandes empreiteiras.

Quando secretário estadual da Saúde, em contato estreito com essas populações, criei a frase que venho repetindo desde então: "O grande problema do pobre não é ele ser pobre. É que o amigo dele também é pobre." Ele não tem quem fale com quem decide, quem marque uma audiência, quem elabore um projeto, quem negocie um financiamento. Criou-se então um *apartheid* social, em que uma parcela absolutamente minoritária passou a viver como se estivesse em país de 40 mil dólares de renda per capita, enquanto a grande massa da população vivia como se estivesse em um país de menos de 800 dólares per capita. Nessa situação, foi adicionado outro componente, que tem infelicitado a nação. Refiro-me à corrupção. Não apenas a grande corrupção que movimenta a mídia, sem resultados benéficos palpáveis, mas também a pequena corrupção, que se tornou endêmica e corrói o tecido social.

O sistema de saúde, de certa forma, sofreu influência dessa evolução. Até a década de 1930 havia quem pudesse pagar pelo atendimento e quem não pudesse e era considerado indigente. Este último grupo, quando a medicina caseira não resolvia seus problemas, recorria às santas casas, que eram mantidas pela parcela da sociedade que dispunha de recursos. Assinale-se que nessa época o diagnóstico baseava-se no conhecimento do médico, havendo pequeno suporte tecnológico. Por outro lado, a terapêutica, tanto medicamentosa quanto cirúrgica, era limitada, sendo esses estabelecimentos para atendimento prioritário aos chamados indigentes pouco mais que asilos. Era comum doentes crônicos permanecerem internados durante meses, sem grande alteração em seu estado clínico. As pessoas que tinham recursos recorriam à medicina privada, utilizando predominantemente o atendimento em consultórios. A internação era reservada apenas aos casos mais graves ou que necessitassem de algum tipo de intervenção cirúrgica. Até os partos eram realizados nos domicílios.

A situação começou a modificar-se quando foi criada a assistência médica da Previdência Social. Como a arrecadação de empregados e empregadores carreava soma considerável de recursos e não havia ainda aposentados, boa parte dos recursos passou a ser aplicada na assistência médico-hospitalar e ambulatorial dos segurados, distinguindo-se, então, três grupos de clientes: os particulares, que custeavam suas despesas, os segurados da Previdência e os indigentes. Como a capital federal era o Rio de Janeiro, uma grande soma dos recursos foi aí aplicada quando se construíram os grandes hospitais da Previdência, à época os mais bem equipados do país, ao lado de alguns hospitais universitários, como, por exemplo, o Hospital das Clínicas de São Paulo. Além das instalações próprias, a Previdência contratava serviços nos hospitais privados e, principalmente, nas santas casas, com remuneração adequada. Como conseqüência, a contribuição da sociedade para estas últimas foi progressivamente declinando, a ponto de ficarem na dependência do que lhes remunerava a Previdência, complementado por eventuais clientes privados.

Iniciava-se então a incorporação de um novo ator ao clássico trio dos serviços de assistência médica (paciente, médico e hospital): a Previdência Social, trazendo o governo para o atendimento. É interessante assinalar que a arrecadação de empregados e empregadores não se caracteriza como recurso público, mas como fundo de pensão pertencente aos que contribuem. Ocorre que o governo decidiu arrecadar e administrar esses recursos. Com o avanço científico e tecnológico incorporaram-se novos atores ao setor, os intermediários entre os usuários e provedores (médicos e hospitais/ambulatórios), introduzindo então um viés mercadológico cuja ética comercial difere da médica. Também a partir dos anos 1960 foram implantados sistemas de pré-pagamento que contribuíram para o assalariamento dos profissionais que, muitas vezes, passaram a se comportar como assalariados, inclusive incorporando as greves nos seus movimentos reivindicatórios.

A primeira greve de médicos no país ocorreu em 1979. A essa altura, além da enfermagem, outras profissões foram incorporadas à área da saúde, de maneira a se consolidar a atuação multiprofissional no tratamento dos doentes.

No início dos anos 1970 as três esferas de governo não tinham clara delimitação de atribuições, observando-se muitas vezes uma superposição de oferta de serviços de mesma natureza e na mesma área, até com conflitos de competência entre as esferas federal, estadual e municipal. Era tão hegemônica a influência federal, que o superintendente da assistência médica da Previdência Social nos estados – em geral, o principal responsável pela atenção individual – tinha muito mais poder do que os secretários estaduais de Saúde, responsáveis pela "saúde e, eventualmente, pela bastante desqualificada assistência primária pública".

A essa altura já se delineava um grupo de médicos, especialmente os sanitaristas, que pleiteavam uma reorganização da assistência médica preocupados com a marginalização de parcela considerável da população que, de um lado, não podia fazer face às despesas crescentes da assistência e, por outro, não tinha cobertura da Previdência Social. O grupo auto-intitulou-se "da Reforma Sanitária"" Foi quando se organizaram nas faculdades de medicina as chamadas medicina preventiva e medicina social como disciplinas individualizadas. Esse movimento teve grande influência durante a 8ª Conferência Nacional de Saúde, que, por sua vez, serviu de subsídio ao capítulo de Saúde na Constituição de 1988.

A determinante política sempre teve papel central no desenvolvimento do setor da saúde porque não apenas regulamenta as práticas empregadas sob responsabilidade governamental, como participa diretamente na definição dos recursos a serem utilizados. Costuma-se dizer que a política é a arte do possível. Prefiro estar entre os que admitem que política é a arte de tornar possível o necessário. Por isso, as decisões políticas devem atender às necessidades da população, e a prioridade estar a elas vinculadas. Como os diversos estratos da população têm capacidades diferentes de influir na destinação dos recursos públicos, esses podem ser alocados sem correspondência com as necessidades da parcela mais sofrida da população, que representa a maioria.

Exemplo gritante dessa desatenção pode ser constatado quando se examina, por exemplo, a distribuição dos leitos hospitalares na cidade de São Paulo. Em estudo que realizamos em 2000 com a colaboração de Vivaldo Luconti, da Fundação Seade, analisamos como os 28.214 leitos de 170 hospitais então existentes se distribuíam nos 96 distritos em que a cidade está dividida. Encontramos 11 distritos com mais de 10 leitos por mil habitantes. Os extremos eram o Jardim Paulista, com 43,15 leitos por mil, e o distrito de Belém, com 10,32. A média dos 11 distritos habitados por 600 mil pessoas era de 26 leitos por mil. Outros 14 distritos, entre os mais antigos na cidade, com 1.243 mil moradores, tinham em média seis leitos por mil habitantes, sendo seus limites Mooca e Carrão, com 8,78 e 3,37 leitos por mil pessoas, respectivamente. Com menos de três leitos por mil habitantes, encontramos 32 distritos onde viviam 3,991 milhões de pessoas; Ermelino Matarazzo (2,83) e Vila Formosa (0,06) eram seus extremos. A surpresa foi encontrarmos 39 distritos, com 4,070 milhões de pessoas, em que não existia nenhum leito hospitalar, fosse ele público ou privado. O número adequado de leitos situa-se entre três e quatro por mil habitantes. O número que encontramos na média foi de 2,8 leitos por mil. Seria o caso de se impedir a construção de novos leitos nas áreas em que já são excessivos enquanto não se atingisse pelo menos um leito por mil habitantes nas áreas mais carentes.

Essa constatação na maior cidade do país fala por si da ausência de prioridade quando se analisa o problema e aponta para situação semelhante nas demais grandes cidades, particularmente nas regiões com níveis mais gritantes de desigualdade.

A garantia de acesso à população é também decisão política. Quando exerci o cargo de secretário estadual da Saúde estabelecemos como princípio que só poderíamos considerar que a população tivesse acesso se fosse possível chegar a uma unidade de atendimento pelos seus próprios meios de locomoção. Isso equivale dizer, para a maioria da população, a pé. Quando estudamos a distribuição dos centros de saúde, encontramos áreas com 300 mil habitantes sem que houvesse na região um único consultório. Constituímos uma equipe para estudar toda a área metropolitana, os aglomerados humanos, os meios de comunicação e elegemos uma área piloto em São Mateus, na zona Leste de São Paulo.

O projeto resultou em uma proposta de construção de 490 centros de saúde e de 40 hospitais para dar cobertura mínima à população da região metropolitana, aquela altura com cerca de 12 milhões de habitantes. Como não conseguíamos mobilizar recursos internos, buscamos financiamento do Banco Mundial, que pela primeira vez em sua história foi induzido a financiar um programa de saúde em área metropolitana. A proposta identificou áreas, com auxílio da população local, e promoveu junto à Secretaria de Justiça os trâmites para considerá-las de utilidade pública. Passaram-se 25 anos e embora os sucessivos governos aprovassem e incorporassem o que se convencionou chamar de Plano Metropolitano de Saúde, até hoje não se conseguiu realizar toda a proposta de 1982. Enquanto isso, a população da região metropolitana atingiu 20 milhões de habitantes, exigindo um projeto muito maior até que o elaborado por nossa administração.

As deficiências do atendimento e a falta de acesso da população de baixa renda não surpreendem o pessoal do setor da saúde, que vem pleiteando condições mínimas, mas que não são contempladas nos orçamentos públicos. Ao lado disso, deve-se considerar o espetacular avanço nas técnicas de diagnóstico e terapêutica a exigir constante atualização de equipamentos e instalações. Se os orçamentos mal contemplam os recursos de custeio não é de surpreender os prédios se apresentarem deteriorados e os equipamentos desatualizados e sem manutenção adequada, levando à desativação de parte da capacidade instalada, já por si insuficiente.

Essa situação do setor público contrasta com o das instituições privadas, que recebem remuneração compatível com o atendimento que prestam e nas quais se concentra a excelência do atendimento. São muito poucas as instituições públicas que conseguem manter nível equivalente – entre elas estão alguns hospitais universitários e institutos federais ou de estados mais fortes da Federação, como o Inca no Rio de Janeiro, o Sarah em Brasília ou o Incor em São Paulo.

Fica claro que a decisão política que consegue compor recursos para a Previdência e para o serviço da dívida não consegue apresentar orçamento para a saúde próximo do que estabeleceram os constituintes nas disposições transitórias da Constituição e que nunca foi regulamentado. Propunham os constituintes que 30% do orçamento da seguridade fosse destinado ao Ministério da Saúde. Quando assumi o posto, em 1995, o disponível atingia 22% do orçamento da seguridade, e, como não havia qualquer possibilidade de sua ampliação nos próximos dois ou três anos, pleiteamos e conseguimos a aprovação da CPMF, que traria os 8% adicionais, fundamentais não só para corrigir os valores pagos aos prestadores de serviço, como para implementar a erradicação da dengue, reduzir dramaticamente os números da malária e significativamente os da mortalidade infantil e materna.

É importante que se tenha presente que foi política a decisão de reduzir à metade em 1990 e finalmente erradicar totalmente em 1993 a significativa parcela de recursos que a Previdência Social destinava à saúde, sem reposição por outras fontes. Cabe lembrar que os recursos perdidos foram superiores aos destinados pelo orçamento ao próprio Ministério da Saúde. A essa altura, os gastos federais representavam 70%, enquanto as aplicações dos estados e municípios reunidos representavam pouco mais de 30% dos gastos públicos. Desse modo, quando se retirou a parcela da Previdência, criou-se uma dramática redução no orçamento da saúde que até hoje não foi recomposto. Em 1989, os recursos para a saúde, incluídos os gastos pelo Inamps, chegavam a US$ 11,5 bilhões. Em 1993, com o Inamps já incorporado ao Ministério da Saúde, porém sem os recursos da Previdência, o orçamento do Ministério tinha sido reduzido para US$ 6,5 bilhões. É bom frisar que boa parte do atendimento público volta-se hoje para os aposentados, sem qualquer participação do Ministério da Previdência.

Para avaliar o que esses fatos representam, fiz um levantamento dos recursos gastos pelo Ministério da Saúde em 1995 e corrigi os valores pelo Índice de Preços ao Consumidor (IPC), da Fipe, e pela inflação do setor da saúde. A partir de 1997, quando a CPMF começou a ser arrecadada, somei essa parcela aos valores corrigidos a cada ano. Esses números foram comparados com os orçamentos executados até 2005 e que incorporam as parcelas da CPMF. Se somarmos as diferenças ano a ano, a perda dos recursos federais para a saúde representa, em 10 anos, R$ 66.799 bilhões, se o índice utilizado for o IPC, ou R$ 127.226 bilhões, se o índice for a inflação do setor da saúde. Para enfatizar esses números, considere-se que os gastos com investimento nesse período foram obtidos por financiamento externo e que ficou denominado de Reforsus. Esse financiamento foi conseqüência de recursos negociados em 1995 com o Banco Mundial e o Banco Interamericano de Desenvolvimento no valor de US$ 650 milhões mais a contrapartida nacional e foi, praticamente, o que se investiu nesses 10 anos, em que, considere-se também, a população teve acréscimo de 20 milhões de pessoas.

A situação não ficou pior porque, em sua gestão, o ministro José Serra teve atuação decisiva na aprovação da emenda constitucional 29/2000, ainda não regulamentada, que garantiu pelo menos a impossibilidade de haver redução, em valor real, dos recursos federais, pois incorpora ao que se gastou no ano anterior mais 5% do crescimento nominal do PIB e obriga os estados a aplicar o mínimo de 12% e os municípios, o mínimo de 15% de seus orçamentos em saúde. Com isso, a parcela federal, que era amplamente majoritária, passou a representar pouco menos de 50% do gasto total. Deve-se considerar, entretanto, que só sete estados estão aplicando os 12%, enquanto a maioria dos municípios aplica 15%, e alguns até mais.

Outros dados são importantes para esclarecer essa questão dos recursos. Se considerarmos os gastos do setor privado no país e os compararmos com os gastos públicos, evidencia-se o desnível. O setor privado gasta cerca de R$ 80 bilhões por ano, aproximadamente o que gastam os três níveis de governo. Desse montante, pouco mais da metade provém dos sistemas de pré-pagamento, o restante sendo gastos diretos das pessoas, incluídos os referentes a medicamentos e procedimentos e exames não cobertos pela chamada medicina suplementar. Ocorre que o setor privado cuida de pouco menos de 40 milhões de pessoas, o que significa dizer que os gastos atingem perto de R$ 2 mil per capita/ano.

O setor público, de acordo com a Constituição, presta serviços a toda a população, ou seja, 180 milhões de pessoas, mas aplica apenas perto da metade de seus recursos no atendimento médico-hospitalar e ambulatorial, que é o que o setor privado faz. Isso porque a outra metade é gasta em imunizações, combate a endemias, vigilância epidemiológica e vigilância sanitária, controle da qualidade de alimentos e de medicamentos, bem como com o controle de portos, aeroportos e fronteira, entre suas muitas ações e seus serviços. Para prestar atendimento do mesmo tipo que o setor privado, dispõe de cerca de R$ 40 bilhões, o que significa pouco mais de R$ 220 per capita/ano ou perto de 10 vezes menos do que dispõe o setor privado. Entretanto, essa diferença se expressa muito mais na dificuldade de acesso, que resulta em filas e retardos no atendimento, e menos na qualidade. É curioso que quem mais critica o sistema público é quem não o utiliza. Os que recorrem ao atendimento público, porém, acreditam que, apesar das dificuldades e dos problemas, têm hoje atendimento melhor do que no passado, quando parcela significativa da população era excluída.

Se partirmos para a comparação com o exterior, tudo fica mais claro ainda. Os Estados Unidos gastam, hoje, mais de US$ 7 mil, enquanto a maioria dos países da Europa gasta mais de US$ 2 mil per capita/ano, como também Japão e Canadá. Países vizinhos nossos, como Argentina e Uruguai, gastam perto de US$ 800, enquanto nós, no total, setores público e privado considerados, gastamos perto de US$ 500 per capita/ano. Mesmo o setor privado, mais bem suprido de recursos, mal chega a US$ 1 mil.

Tendo presentes todas essas variáveis até aqui comentadas e sem me deter em analisar toda a evolução do setor da saúde nos últimos 80 anos, resumidamente podemos afirmar que se tínhamos, inicialmente, apenas os pagantes, que recorriam à medicina privada, e os indigentes, que procuravam as santas casas, chegamos na década de 1930 à introdução do atendimento aos associados da Previdência Social e, nos anos 1960, ao início da implantação de sistemas de pré-pagamento, manejados por empresas.

Dessa maneira, no setor da saúde, as ações que visavam à coletividade, como imunizações, combate a endemias, vigilância sanitária, epidemiologia etc., sempre foram atribuições do governo, enquanto o atendimento de pessoas individualmente se distribuía em quatro categorias, a saber: privados, indigentes, previdenciários e cobertos por planos de pré-pagamento. Os três níveis da área governamental apareciam com ações não-coordenadas e, por vezes, conflitantes. As tentativas de distribuição de atribuições não obtinham muito sucesso, devido ao caráter federativo dos órgãos, o que lhes conferia independência de atuação e não subordinação hierárquica.

De tudo isso, resultava uma insatisfação, que levou pessoas em busca de aprimorar o atendimento a constituir um movimento denominado "reforma sanitária", que pretendia equacionar o problema da saúde, abordando suas variáveis e tentando formular propostas capazes de eliminar as desigualdades na oferta de serviços e de disciplinar a atividade sob o comando do Estado. Esse movimento teve grande influência durante a 8ª Conferência Nacional de Saúde, que por sua vez serviu de subsídio ao capítulo sobre o setor na Constituição de 1988, consagrando a idéia de saúde como direito do cidadão e dever do Estado, devendo ser oferecido com universalidade, integralidade e eqüidade a toda a população.

Em sua proposta, a Constituinte atribuiu à iniciativa privada caráter complementar, e o setor público foi elaborado com comando único, em cada esfera de governo, descentralizado e com forte participação popular.

Essa descentralização foi discutida na 9ª Conferência de Saúde, convocada por mim, em plena efervescência do período pré-impeachment do presidente Fernando Collor, e suas conclusões tornadas práticas no ano seguinte, pela NOB/93, quando Jamil Haddad era ministro da Saúde, e Gilson Carvalho, secretário de Assistência e Saúde. Essa norma operacional estabeleceu três categorias para os municípios quanto à gestão, a saber: incipiente, parcial e semiplena.

Para harmonizar os três níveis de governo foram criadas as comissões intergestores. A Bipartite, entre a Secretaria Estadual e o Conselho Estadual dos Secretários Municipais, e a Tripartite, entre o Ministério da Saúde, o Conselho Nacional dos Secretários Estaduais de Saúde (Conass) e o Conselho Nacional dos Secretários Municipais (Conasems). Essas comissões discutem os problemas, sejam dos municípios em cada estado, sejam dos estados com a União, criando uma forma de pactuação que se tem mostrado eficaz.

O Conselho Nacional de Saúde foi reestruturado, e foram criados conselhos estaduais e municipais, para acompanhar as ações, propor medidas, aprovar e avaliar propostas, aproximando, efetivamente, autoridades e população. Também as conferências nacional, estaduais e municipais são espaços onde se discutem e pactuam políticas a serem implementadas. Foi instituída programação integrada, sendo os recursos federais distribuídos conforme a população de cada município e de cada estado. Forte ação foi empreendida a partir de 1995 para eliminar fraudes e irregularidades, colocando 135 críticas no sistema de processamento de contas. Hoje não se fala mais em fraude, mas em filas, em falta de vagas, em demora para exames de imagem.

Normas operacionais periodicamente editadas, como a NOB/96 e a NOAS/2000 e 2001, tornam viáveis as propostas.

Se todo esse aparato está implantado, com programação integrada e criação dos Fundos Nacional, Estaduais e Municipais de Saúde, qual a razão das deficiências e limitações no atendimento da população, que tanto preocupam a todos?

Desde que a Constituição estabeleceu, em seu artigo 196, que saúde é direito do cidadão e dever do Estado, a ser oferecido com universalidade, integralidade e eqüidade, os responsáveis pela administração da área vêm-se esforçando para conquistar o que podemos chamar de utopia.

A lei 8.080/90, que teve vários artigos vetados, e a lei 8.142, que procurou recuperar alguns dos vetos, são os parâmetros para organizar o sistema.

De imediato, e como a Constituição estabeleceu que a atividade é livre à iniciativa privada, se identificaram dois subsistemas: o particular, considerado complementar, e o público, organizado como Sistema Único de Saúde – o SUS – e utilizando toda a rede pública e os serviços privados contratados.

O privado foi-se organizando com base no pagamento das despesas, seja diretamente pelo paciente ou indiretamente por modelos de pré-pagamento já existentes, mas que foram sendo submetidos a regras emitidas pelo governo federal e, atualmente, coordenadas pela Agência Nacional de Saúde Suplementar, que garante o cumprimento das regras negociadas e estabelecidas para evitar prejuízos aos pacientes decorrentes de manobras que beneficiem indevidamente as operadoras.

Hoje, dispomos de medicina de grupo, do seguro saúde, das cooperativas médicas, de autogestão, além de planos criados por entidades de saúde, como hospitais e santas casas. Em conseqüência, é cada vez menor o contingente dos que financiam diretamente os custos com o atendimento médico, principalmente o hospitalar.

Esse extrato de atividade engloba um universo de quase 40 milhões de pessoas entre os mais bem aquinhoados na sociedade e empresas que negociam planos para seus funcionários.

De qualquer modo, é o setor que incorpora as pessoas com melhor formação intelectual, compatível com a participação financeira, seja ela direta ou indireta, e capazes de exercer pressões sobre a oferta.

Como já sugerimos, o sistema conta com disponibilidade de cerca de R$ 2 mil per capita/ano e sustenta consultórios, hospitais e laboratórios privados, os quais, diante da remuneração que recebem e da colaboração de patrocinadores das diversas colônias, principalmente de descendentes de imigrantes, injetam quantias consideráveis de recursos, além da remuneração dos serviços prestados. Esse *mix* tem permitido ao país a constituição de rede hospitalar atualizada e com incorporação de toda a moderna tecnologia, incluindo equipamentos de diagnóstico de última geração.

Resta estabelecer a forma de limitar o emprego excessivo desses recursos, tanto de diagnóstico quanto de terapêutica, sem interferir na liberdade do médico, cuja atividade não pode ser limitada com o objetivo de maximizar o lucro das prestadoras.

Esse é um problema importante, quando se sabe que o resultado da maioria dos exames é normal. Talvez a única forma de corrigir essas distorções seja o estabelecimento de normas para aprimorar o nível profissional, que passa por revisão do ensino médico para formar o clínico geral, capaz de diagnosticar e tratar as doenças mais simples sem o uso excessivo de tecnologia e, ao mesmo tempo, evitar o excesso de especialistas e subespecialistas, habituados a depender de exames nem sempre indispensáveis para o diagnóstico.

Passa também, a questão, pelos órgãos de fiscalização institucionalizados, como o Conselho Federal e os Conselhos Regionais, que devem avaliar a quem conceder autorização para o exercício profissional, deixando de atuar apenas como cartório, e pelas associações profissionais, promovendo a reciclagem e o recredenciamento dos especialistas.

Por outro lado, cabe estabelecer controle sobre o nível de incorporação tecnológica minimamente compatível com a necessidade. De qualquer forma, embora com imperfeições e desperdício, é o setor que sustenta o padrão de assistência equivalente ao que existe de melhor em todo o mundo.

Nosso grande problema está no setor público, que, pela Constituição, garante acesso a toda a população, ou seja, aos cerca de 180 milhões de habitantes, sem excluir os que se beneficiam da medicina privada.

Organizar o setor público, na óptica de um sistema, com comando único em cada esfera de governo, distribuindo atribuições e dividindo recursos, em um país com estrutura federativa e com sistema democrático de eleições a cada dois anos, que geram conflitos e deixam seqüelas, sem dúvida, foi tarefa das mais difíceis. Deve-se considerar, também, a necessidade da descentralização no nível municipal, com participação social. O setor da saúde, como já relatamos, conseguiu formatar um modelo criando instâncias de discussão entre cada estado e seus municípios, criando a Comissão Intergestores Bipartite. Da mesma forma criou a Comissão Intergestores Tripartite, entre o Ministério da Saúde e os Conselhos Nacionais dos Secretários Estaduais de Saúde (Conass) e dos Secretários Municipais de Saúde (Conasems). Reuniões periódicas ajustam detalhes e eliminam eventuais conflitos. Além do Conselho Nacional, os Conselhos Estaduais e Municipais de Saúde garantem a ampla participação social na destinação e aplicação de recursos dos fundos nacional, estaduais e municipais de saúde.

Já referimos o papel das Conferências Nacionais de Saúde, a oitava, que formulou as premissas incorporadas na Constituição de 1988, a nona, que norteou a descentralização, e as demais, realizadas a cada quatro anos, que detalharam e formataram o SUS em sua configuração atual.

A garantia de acesso pelas populações de baixa renda vem sendo obtida pelos programas de agentes comunitários de saúde e de saúde da família.

O Pacs, cuja implantação foi incrementada a partir de 1995, conta hoje com aproximadamente 204 mil agentes comunitários, cada um cuidando de número de famílias variável de 100 a 200, dependendo da concentração da população. São recrutados entre os moradores do núcleo do qual fazem parte e têm como função cadastrar a população sob seus cuidados, fazer levantamento das doenças preexistentes, identificar as gestantes, verificar caderneta de vacinação das crianças, levantar condições sanitárias e prestar assistência, orientando sobre condições de higiene e cuidados com a saúde. Ficam vinculadas às unidades básicas, com recursos para imunização de doenças preveníveis por vacinação e programas de prevenção e assistência às doenças prevalentes na comunidade onde atuam.

O Programa Saúde da Família (PSF) agrega médico, enfermeira, um ou dois auxiliares de enfermagem, e cinco ou seis agentes comunitários, o que significa cuidar de 500 a mil famílias. Essa equipe atua na unidade básica e, eventualmente, nas residências, sempre que o agente comunitário informa que uma pessoa necessitada de atendimento não pôde se deslocar até a unidade. Esses dois programas conseguem resolver, com mínima quantidade de exames laboratoriais, a grande maioria dos casos.

Em municípios do Nordeste, onde foram inicialmente instalados, causaram impacto, reduzindo, por vezes dramaticamente, a mortalidade infantil e contribuindo para a melhoria da qualidade de vida dos portadores de doenças crônico-infecciosas ou degenerativas, como tuberculose, hipertensão e diabetes, entre outras.

Hoje, há mais de 26 mil equipes de saúde da família, cuidando de mais de 83 milhões de pessoas. A implantação desses programas em áreas metropolitanas, onde a falta de assistência é mais aguda, ainda está bastante limitada. Há evidente equívoco quando se argumenta que nessas regiões, onde se situa a maioria dos hospitais, esse tipo de programa é desnecessário.

Ocorre que – como já referimos, quando da análise da distribuição dos leitos hospitalares no município de São Paulo – esses recursos estão concentrados em áreas mais centrais, deixando as pessoas de periferias mais carentes a procurar serviços de emergência freqüentemente longe de onde moram, para solução de problemas simples, tumultuando o atendimento.

Cada número de unidades básicas deveria ter ambulatórios de especialidades na área, para onde pudessem ser enviados casos que necessitassem de especialistas, que, por sua vez, deveriam dispor de laboratórios e leitos de referência, em nível local, regional e de alta complexidade, à disposição.

É a insuficiência, tanto das unidades básicas, que não dão conta de toda a população necessitada, quanto das unidades de referência, sejam ambulatoriais, laboratoriais ou hospitalares, que deixa parcela significativa da população sem cobertura, obrigando a busca de serviços de emergência ou de alta complexidade para tratar situações que poderiam ser resolvidas nas unidades básicas ou na referência local ou regional. O que não se conseguiu, ainda, foi implantar essa estratégia em todo o país, e não por falta de previsão, mas por insuficiência crônica de recursos.

A deficiência é mais acentuada nos municípios mais populosos e nas áreas metropolitanas. Por isso, a impressão errônea de que o modelo não funciona. Na verdade funciona bem onde está implantado, o que atinge cerca de pouco mais de um terço da população. A ampliação do modelo fica dependendo de recursos não disponíveis. Essa deficiência também limita a implantação dos ambulatórios de especialidades para servir de referência, bem como de leitos de primeiro atendimento antes de se utilizar a rede de hospitais secundários, também em número menor que o necessário e mal distribuídos, como assinalamos na análise do município de São Paulo. A contratação de serviços privados, principalmente de santas casas, não consegue resolver o problema, seja porque inexistem na área ou porque a remuneração não cobre os custos, colocando essas instituições em dificuldades financeiras quase insolúveis. Mesmo para os hospitais universitários, os tetos financeiros quando ultrapassados deixam esse atendimento sem correspondente remuneração.

A conseqüência é que a divulgação de casos não atendidos, de filas, de demora para realização de exames, especialmente de imagem, dá a impressão de que nada funciona. Essa visão é equivocada, pois sabe-se que o SUS foi responsável por mais de 11 milhões de internações hospitalares, mais de 600 milhões de consultas, mais de 3,5 bilhões de exames, por quase todos os transplantes e mais de 70% das cirurgias cardíacas, além de manter um programa de imunizações para doenças transmissíveis que erradicou a poliomielite e o sarampo, deixando as demais doenças em níveis mínimos. O SUS tem o melhor programa de Aids de todo o mundo, reconhecido como modelo pela OMS. Praticamente eliminou a doença de Chagas, transmitida pelo *Triatoma infestans*, principal vetor de transmissão domiciliar. Claro que há deficiências no controle da malária e da dengue, e os números da tuberculose e da hanseníase ainda preocupam. Por outro lado, caminhamos rapidamente para a auto-suficiência em imunobiológicos graças ao Instituto Butantã, em São Paulo, e à Fiocruz, no Rio de Janeiro. Medicamentos – inclusive os de alto custo, como, por exemplo, os imunossupressores – vêm sendo fornecidos aos pacientes. A idéia de que o sistema não funciona é totalmente equivocada. Existem, sim, deficiências, quase todas devidas ao subfinanciamento do sistema, que obriga a remuneração pelos serviços prestados em valor incompatível com o atendimento que todos reivindicam.

A conseqüência é que tanto a rede pública quanto a conveniada para prestar serviço ao SUS é flagrantemente sub-remunerada. A idéia de que não faltam recursos mas gestão também é equivocada. Claro que a gestão pode ser melhorada e está sendo feito grande esforço nessa direção, mas é flagrante a deficiência de recursos. Para citar apenas um exemplo, quando o atendimento era feito pelo Inamps a consulta médica valia seis unidades. A unidade era 1% do salário mínimo. Hoje o salário mínimo é de R$ 380 – se mantida a proporção, a consulta teria o valor de R$ 22,80. O SUS, que até há pouco pagava R$ 2,50, paga hoje R$ 7. Esse é o tamanho da perda, que é igual para todos os procedimentos pagos aos prestadores. Gostaria que isso ficasse claro, para que não se responsabilizem os que, enfrentando uma crônica insuficiência de recursos, vêm lutando para, dentro das limitações, oferecer, como assinalado anteriormente, o maior atendimento possível.

Acho oportuno a esta altura fazer uma reflexão sobre o porquê de a área econômica não disponibilizar os recursos de que o setor precisa e ficar tão longe dos 30% do orçamento da seguridade estabelecidos pelos constituintes nas disposições transitórias, que não chegaram a ser regulamentadas. Tivéssemos essa participação, o orçamento federal da saúde ultrapassaria R$ 110 bilhões, ao contrário dos R$ 46 bilhões consignados no último orçamento e ainda sujeitos a eventuais contingenciamentos.

A afirmação, freqüente, de que a carga tributária no Brasil é muito elevada precisa ser relativizada. Não há país com carga tributária elevada que tenha uma concentração de renda igual à nossa. Para assalariados e todo o contingente de renda mais baixa, evidentemente, a carga tributária é elevada, porquanto está embutida em todos os produtos de consumo. Quanto aos que se apropriam da maior parte da renda, o mecanismo de concentração só pode ser o de apropriação indevida da renda que geram. E essa apropriação decorre de uma contribuição desproporcional em relação a essa mesma renda. O impacto da sonegação dos que concentram a renda é incomparavelmente maior do que o dos que incorporam apenas pequena parte da renda nacional. Para estes últimos, que não conseguem evitar a contribuição, embutida em tudo que compram, é legítimo reclamar da carga tributária. Mas a sonegação que realmente pesa é a dos que se apropriam da maior parte da renda e que contam, aliás, com benefícios fiscais incluídos em legislação, que patrocinam e levam à escandalosa concentração. É preciso ter em mente a influência desse setor no financiamento de campanhas eleitorais, que lhes permite atuar, diretamente, na elaboração legislativa. O próprio setor privado de saúde tem grande parte de seus recursos passíveis de descontos permitidos por lei no imposto de renda.

É visível o esforço dos governos estaduais para induzir a população a exigir nota fiscal de suas compras. É pouco provável que quem vende sem nota exija nota integral na reposição de seus estoques. Por outro lado, nas transações imobiliárias, freqüentemente o valor da transação é reduzido, de modo que quem compra não precisa demonstrar renda e quem vende não recolhe sobre lucro imobiliário. O exemplo da lei que regulamentou a CPMF é demonstrativo. Na regulamentação da lei foi incluído artigo que proibia a Receita Federal de utilizar a informação da CPMF para efeito de Imposto de Renda. Foi necessário que o diretor da Receita Federal, à época, demonstrasse que dos 100 maiores contribuintes da CPMF, 62 nunca tinham pago imposto de renda. Existia microempresa, que por definição não pode movimentar mais de R$ 120 mil por ano, movimentando R$ 100 milhões.

A simples eliminação da restrição, permitindo o cruzamento de informações, fez com que a arrecadação federal subisse de R$ 6,5 bilhões por mês para R$ 21 bilhões. Talvez por isso a elite econômica e financeira lute tanto para extinguir esse tributo. Certamente há muitos outros meios de se furtar a contribuir desde que o planejamento tributário se baseie na utilização das chamadas brechas que a legislação permite. Quando se sabe da influência exercida pelos que financiam as campanhas durante a elaboração das leis é lícito supor que existam possibilidades de sonegação legal. Quando se conseguiu impor uma lei proibindo a propaganda de cigarro e de bebida alcoólica entre as 6h e as 21h, nela foi incluído artigo que considerava bebida alcoólica, para efeito daquela lei, a que tivesse teor acima de 13° Gay-Lussac, quando a definição natural considera 0,6°. Dessa forma, ficaram excluídos a cerveja e afins e o vinho. A propaganda agressiva da cerveja, até com patrocínio de eventos esportivos, está transformando adolescentes em consumidores habituais, primeiro passo para torná-los dependentes, além de todos os demais inconvenientes, de conhecimento geral.

Não é fora de propósito admitir que a concentração de renda resulta da apropriação de valores significativos que poderiam corrigir deficiências graves, como a crônica limitação de recursos para a saúde. Se a carga tributária que é calculada sobre o PIB oficial fosse calculada sobre o PIB real, ver-se-ia que ela não é alta. Outra vez é legítimo insistir que ela é alta para quem não consegue sonegar. Deve-se considerar ainda que a arrecadação do INSS é recurso dos aposentados e pensionistas que o governo arrecada e administra. Na verdade é um fundo de pensão que bem poderia ser arrecadado e administrado pelos que contribuem. Se esse recurso for excluído da carga tributária que resulta em recursos públicos, veremos que ela não é elevada como se propala.

Merece reparos o argumento de que em países do Primeiro Mundo se justifica carga tributária mais elevada do que a nossa porque resulta em retorno de serviços em benefício da população. Não se pode esquecer de que esses países foram, desde o início, os beneficiários da Revolução Industrial e drenaram recursos de suas colônias, territoriais ou não, criando sua infra-estruturas que na segunda metade do século XX, quando foram forçados a libertar as colônias, já estava pronta e com índices de natalidade apenas de reposição, com conseqüente crescimento populacional limitado. Enquanto isso, os países que só conseguiram iniciar seu desenvolvimento a partir dos anos 1950, tendo de importar tecnologia e enfrentar urbanização acelerada com altos índices de natalidade e sem a infra-estrutura implantada, precisariam de um volume de recursos que sua população não conseguia gerar. Enquanto na Europa a população cresceu em 50 anos 25%, no Brasil o crescimento foi de 320%, sendo que a população urbanizada, no mesmo período, cresceu perto de 800%. Nossa infra-estrutura foi feita à custa de empréstimos externos e internos cujos juros representam hoje quatro vezes mais que os gastos federais com saúde. Países com desenvolvimento recente precisariam de muito mais recursos do que têm arrecadado, o que não permitiria a concentração da renda nacional nas mãos de poucos, impedindo sua aplicação em benefício de todos.

Sempre que faço esta reflexão sou acusado de me preocupar exageradamente com recursos. E a preocupação procede, porque não se pode fazer atendimento a toda a população sem calcular e comprometer recursos adequados. Estabelecer tetos financeiros fora da realidade e ao mesmo tempo punir a recusa de atendimento só pode levar insolvência ao sistema, depois acusando os gestores de incompetentes.

Quando se planejam as grandes obras, incluem-se recursos correspondentes, depois acrescidos, muitas vezes para atender a superfaturamento que alimenta a corrupção. A resposta à pergunta inicial é que a saúde tem jeito desde que se calculem seus custos, sempre crescentes, e se ofereça esquema financeiro capaz de atender aos gastos que podem e estão sendo racionalizados, mas não podem ser evitados. O exemplo da rede privada prova que o diferencial é o volume de recursos. Tivesse a rede pública o mesmo aporte, assistiríamos a uma verdadeira revolução do setor.

Finalmente, quero reiterar que política não é a arte do possível. É a arte de tornar possível o necessário.

A justiça tem jeito?

DALMO DALLARI

Um novo Judiciário para o século XXI

O Judiciário como poder menor

"Não haverá liberdade se o poder de julgar não estiver separado do Poder Legislativo e do Executivo. Se estivesse ligado ao Poder Legislativo, o poder sobre a vida e a liberdade seria arbitrário, pois o juiz seria legislador. Se estivesse ligado ao Poder Executivo, o juiz poderia ter a força de um opressor." Essa proclamação, clara e enfática, da necessidade do Judiciário independente encontra-se na obra clássica de Montesquieu, *Do espírito das leis*, em seu capítulo VI. E foi em grande parte sob inspiração dessa obra que os criadores dos Estados Unidos da América, também inventores da Constituição escrita, em 1787, adotaram o sistema de três poderes separados e independentes entre si.

Essa invenção dos norte-americanos, que, na realidade, acolhia e dava forma a sugestões e propostas para a organização do governo que já haviam sido enunciadas no quarto século antes da Era Cristã, na obra de Aristóteles, correspondia aos anseios da burguesia ascendente, que há vários séculos vinha sendo vítima das arbitrariedades e das violências contra a pessoa e o patrimônio, praticadas por monarcas absolutistas e por uma nobreza privilegiada, que concentravam os poderes de governo e deles abusavam. Entretanto, pelo fato de ser Estado recém-criado e necessitado de defender sua integridade e sua sobrevivência, os Estados Unidos permaneceram em situação de quase-isolamento em relação ao resto do mundo durante praticamente um século, só passando a exercer influência e exportar seu sistema de governo a partir do final do século XIX, quando em outras partes do planeta foram adotadas novas constituições, que consagravam a tripartição dos poderes, afirmando sua independência e igualdade.

A partir do começo do século XIX, o sistema que exerceu mais influência foi o da França, implantado por Napoleão Bonaparte. Até o final do século XVIII vigorou na França o "antigo regime", no qual o poder de julgar ou esteve nas mãos do rei, ou foi exercido pela nobreza; em ambas as situações, porém, o que se tinha era a arbitrariedade fantasiada de justiça. Com a Revolução Francesa colocou-se como fundamental a separação dos poderes públicos, e a primeira Constituição francesa, de 1791, referiu-se, em artigos separados, ao Poder Legislativo, ao Executivo e ao Judiciário. Quanto a este último, dispôs que seria delegado a juízes eleitos pelo povo por tempo determinado. Estabelecendo que em nenhum caso a justiça poderia ser exercida pelo corpo legislativo ou pelo rei, a Constituição não previu garantias para os magistrados nem os meios para a instalação e o funcionamento dos tribunais. Dois anos depois, em 1793, a nova Constituição da França mencionava o corpo legislativo e o Conselho Executivo, dispondo que haveria uma justiça civil e uma criminal, sem se referir ao Judiciário como poder público. Pouco tempo depois, em 1795, foi elaborada outra Constituição, a qual fez referência aos Poderes Legislativo, Executivo e Judiciário, mas sem qualquer espécie de garantia para a independência dos juízes. Nova Constituição, em 1799, dedica um capítulo ao Poder Legislativo, outro ao governo, que seria exercido por cônsules, e outro aos tribunais.

No ano de 1802 foi feita uma grande reforma constitucional, que alguns teóricos franceses consideram uma nova Constituição. Um ponto de grande importância, quanto ao Judiciário, foi disposto no artigo 78, nos seguintes termos: "Há um grande-juiz ministro da Justiça." Trata-se do caminho constitucional para interferência do Executivo no Judiciário, que é referido como "ordem judiciária", o que não se modificará com a Constituição de 1804 e será repetido e agravado pela Carta Constitucional de 1814, cujo artigo 57 dispõe textualmente: "Toda justiça emana do rei. Ela se administra em seu nome por juízes que ele nomeia e institui." Depois disso houve várias mudanças relevantes no texto constitucional, e em 1848 uma nova Constituição retoma a expressão "Poder Judiciário", dispondo, entretanto, que os juízes seriam nomeados pelo presidente da República. Mas pouco depois, em 1852, novas mudanças constitucionais fazem desaparecer aquela referência e nem mencionam o Judiciário. Outra grande alteração, feita em 1875, tratará minuciosamente das relações entre os poderes do Estado, embora só se refira ao Legislativo e ao Executivo.

É importante conhecer essas minúcias do tratamento dispensado pela França ao Judiciário até aí, pois foi essa concepção que influiu sobre o sistema brasileiro até a implantação da República no Brasil, em 1889. Com a primeira Constituição republicana, de 1891, foi dada mais ênfase ao Poder Judiciário, mas alguns vícios muito graves, instaurados durante o período monárquico, não foram erradicados com o advento do sistema republicano. Isso influiu, e continuou a influir, como se verá mais adiante, para que, apesar da afirmação formal da independência do Poder Judiciário, não tenham sido dados os meios para que ele pudesse e possa, efetivamente, organizar-se e atuar como um verdadeiro poder da República, independente e igual aos demais.

Quem conhece a história do Poder Judiciário brasileiro sabe que desde o início do Brasil como Estado independente o Judiciário foi colocado em uma situação de dependência, sob vários aspectos. Do ponto de vista político havia, com a primeira Constituição brasileira, de 1824, o controle pelo imperador, que além de nomear os juízes poderia suspendê-los de suas funções. A par disso, como registram muitos historiadores, sempre houve uma forte interferência das oligarquias regionais no funcionamento do Judiciário, criando-se uma tradição que não foi rompida com a proclamação da República e que pode ser percebida ainda hoje em casos que envolvem grandes interesses políticos e econômicos de algumas elites regionais. Além disso e como regra geral, afetando todo o aparato da justiça, as regras constitucionais sempre colocaram o Poder Judiciário em situação de dependência financeira, sem que lhe seja dada qualquer garantia constitucional quanto ao atendimento de suas necessidades. A obtenção de recursos financeiros para a melhoria dos serviços judiciários ficou sempre na dependência da boa vontade do Executivo e do Legislativo, pois o primeiro sempre teve a competência para preparar o projeto de lei orçamentária, acolhendo ou não, a seu arbítrio, a proposta de participação no orçamento que lhe é encaminhada pelo Judiciário. E não foi dada ao Judiciário qualquer possibilidade de fazer-se ouvir durante a tramitação do projeto de lei orçamentária no âmbito do Legislativo.

Ao lado desses pontos negativos, que sempre exerceram influência no desempenho do Judiciário, é importante assinalar outro fator, de enorme influência, estabelecido nos primórdios do Estado brasileiro e que perdura ainda hoje: a competência exclusiva do Poder Legislativo para o estabelecimento das leis processuais, sem qualquer possibilidade de interferência do Poder Judiciário. O fato é de enorme importância, pois é um dos principais responsáveis pela grande demora na tramitação dos processos, uma vez que mantém exagerada possibilidade de criação de incidentes processuais, fartamente explorados pelos advogados interessados em provocar delongas. Além disso, a legislação processual é responsável pela existência de uma tremenda sobrecarga das instâncias superiores do Judiciário, pois a excessiva possibilidade de recorrer faz com que o princípio do duplo grau de jurisdição – a possibilidade de ter a decisão de um juiz revista por uma instância superior – tenha se degenerado para um sistema de triplo, quádruplo e, muitas vezes, quíntuplo grau de jurisdição.

Poder Judiciário: igual mas dependente

Analisando-se os artigos da Constituição brasileira de 1988 que se referem ao Poder Judiciário e confrontando-os com a mecânica de fixação de prioridades e distribuição dos recursos financeiros, pode-se concluir que o resultado das disposições constitucionais sobre o Judiciário e seu relacionamento com os demais poderes foi a criação de um paradoxo: uma igualdade formal com os demais Poderes, acompanhada de uma dependência prática. Na realidade, a obtenção de recursos financeiros para a melhoria dos serviços judiciários ficou sempre na dependência da boa vontade do Executivo e do Legislativo, pois sempre foi do primeiro a competência para preparar o projeto de lei orçamentária e, considerando as limitações da arrecadação e as diretrizes financeiras, pôs suas prioridades em primeiro lugar, destinando ao Judiciário o mínimo necessário para a manutenção dos serviços já existentes, quando muito com pequenas exceções para investimentos. E, para evitar o risco de uma reação dos juízes, o Executivo sempre fez concessões para que os membros do Judiciário recebessem algumas vantagens pessoais, ou para que os órgãos superiores dos tribunais mantivessem uma aparência de poder, usando instalações vistosas como palácios.

O relacionamento do Judiciário com o Legislativo jamais apresentou dificuldade relevante, pois também durante a tramitação do projeto de lei orçamentária, no Legislativo, o Judiciário sempre teve participação muito discreta, negociando pequenos benefícios, sem nunca ter adotado uma atitude firme em defesa de suas propostas para a criação de novos serviços ou para o aperfeiçoamento dos já existentes. De certo modo pode-se dizer que as restrições orçamentárias atendiam às conveniências de um Poder Judiciário acomodado, que não fazia grande esforço para se modernizar e aumentar sua eficiência e que tinha naquelas restrições uma boa justificativa para suas deficiências, como a tramitação excessivamente lenta dos processos e o grande distanciamento dos juízes, das necessidades sociais.

Para efeitos políticos e jurídico-formais, o Poder Judiciário brasileiro sempre manteve sua independência, mesmo nos períodos ditatoriais, pois, de fato, constantemente se acomodou às situações. Apesar das mudanças havidas nas constituições, tanto na passagem da Colônia para a Monarquia quanto desta para a República, nunca houve mudança substancial no relacionamento do Judiciário com os demais Poderes, sobretudo com o Executivo, que em toda a América Latina tem posição de nítida superioridade. Os juízes sempre se deram por satisfeitos com a declaração formal e solene, nos textos constitucionais, de sua independência e com o recebimento de recursos suficientes para a manutenção de sua rotina. Jamais houve um pronunciamento vigoroso de juízes e tribunais, denunciando a falta de meios para alguma ação mais efetiva e para que pudessem cumprir plenamente e com eficiência sua importante função constitucional.

Tal situação permaneceu basicamente a mesma até 1988, quando foi encerrado um período de governos militares e uma nova Assembléia Constituinte aprovou a Constituição atual. Um fato novo, muito significativo, é que nas últimas décadas, possivelmente estimulado pela necessidade de reagir ao excesso de restrições impostas pelos governos militares, o povo brasileiro procurou organizar-se e tornar-se mais participante. Isso teve reflexos também no Judiciário e uma conseqüência foi a ampliação constitucional do papel político e social dos juízes. Entretanto, o exame da Constituição em relação à independência financeira do Poder Judiciário mostra que foi criada uma nova ambigüidade, pois o aumento da responsabilidade não foi seguido da garantia de meios para uma ação independente.

O artigo 99 da Constituição é tão enfático que dá a impressão de que o Poder Judiciário conquistou, efetivamente, sua autonomia: "Ao Poder Judiciário é assegurada autonomia administrativa e financeira." Dois parágrafos a ele acrescentados, porém, estabelecem que "os tribunais elaborarão suas propostas orçamentárias dentro dos limites estipulados conjuntamente com os demais Poderes na lei de diretrizes orçamentárias". Aqui começam graves restrições, pois, de acordo com o artigo 165, compete ao Poder Executivo a iniciativa das leis fixando as diretrizes orçamentárias e os orçamentos anuais. E por uma enumeração longa e minuciosa dos assuntos que deverão estar contidos nessa legislação fica evidente que as prioridades serão fixadas pelo Executivo, ficando na dependência de sua boa vontade, exatamente como antes, considerar prioritária alguma despesa prevista pelo Judiciário em sua proposta de orçamento.

De acordo com o artigo 166, a proposta elaborada pelo Poder Executivo, que tem liberdade para só acolher a parte da proposta do Judiciário que lhe parecer conveniente, será apreciada pelo Congresso Nacional, que, por sua vez, fará os cortes que julgar recomendáveis, não havendo qualquer previsão de participação do Judiciário nesse momento do processo legislativo ou de respeito necessário a alguma parte de sua proposta. Mais adiante, no artigo 168, está determinado que o Executivo, que é o Poder arrecadador, não poderá reter os recursos e as dotações orçamentárias que couberem ao Legislativo, ao Judiciário e ao Ministério Público, devendo fazer a entrega desse dinheiro até o dia 20 de cada mês. O que resulta disso tudo é que o Poder Judiciário tem o direito de fazer sua proposta de orçamento, mas não tem qualquer garantia de que ela será acolhida, não tendo sequer a possibilidade de assegurar que lhe serão dados os meios para as despesas que em sua avaliação forem consideradas prioritárias. Garante-se apenas que sua parte do orçamento lhe será entregue pelo Executivo, em cotas mensais, até o dia 20 de cada mês.

Conflitos financeiros e independência reduzida

Uma série de conflitos entre o Executivo e o Judiciário, nos últimos meses de 1996, deixou claro que as normas constitucionais relativas ao Poder Judiciário não são suficientes para assegurar sua independência financeira, mas revela também que já não é possível manter a espécie de cumplicidade entre esses dois Poderes, estabelecida no período colonial. O noticiário dos jornais nesse período contém informações alarmantes a respeito de cortes arbitrários na proposta de orçamento do Poder Judiciário, de ameaças de paralisação dos serviços judiciários e de intervenção federal em vários estados, por insensibilidade quanto à importância da prestação de justiça e por desrespeito a normas constitucionais.

Conforme noticiado pelo jornal *O Estado de S. Paulo*, um dos mais antigos e prestigiosos do Brasil, na edição de 9 de setembro de 1996 – página 3 –, despertou indignação nos tribunais superiores o corte arbitrário de cerca de 47% na proposta de orçamento encaminhada pelo Supremo Tribunal Federal ao Executivo. Segundo informação prestada pelo presidente do Supremo Tribunal Federal, o presidente da República havia assumido o compromisso de enviar ao Legislativo a proposta integral de orçamento recebida do Judiciário. Entretanto, além de efetuar um corte que atingia quase a metade da proposta, o Executivo ainda classificou a despesa com os tribunais como "reserva de contingência", expressão técnica que significa tratar-se de despesa que só será efetivada se surgir necessidade real.

É do conhecimento geral que o governo brasileiro daquele período subordinava todas as suas iniciativas a objetivos econômicos, procurando enquadrar-se num modelo estabelecido por instituições financeiras internacionais, especialmente pelo Fundo Monetário Internacional. Isso pode justificar o descaso para com o Poder Judiciário, pois, na perspectiva estritamente econômico-financeira, os serviços judiciários, que não são ligados à produção econômica, parecem supérfluos. Procurando reduzir a importância dessa influência, que as autoridades jamais conseguiram negar, alega-se que o Judiciário gasta mal o dinheiro que recebe, sendo freqüentemente citado como exemplo disso o Superior Tribunal de Justiça, que construiu em Brasília uma sede extremamente luxuosa, o que os próprios juízes brasileiros, de modo geral, consideraram uma leviandade, por comprometer a imagem de todo o Poder. É lembrado também como exemplo de desperdício de recursos financeiros o Superior Tribunal Militar, que mantém um aparato custoso, como os demais tribunais superiores, e que, no entanto, em 1994 julgou 418 processos, o que destoa dos 78.678 julgados pelo Tribunal Superior do Trabalho no mesmo período.

Em fevereiro de 1996, outro jornal muito influente, *Folha de S. Paulo*, o diário de maior circulação no Brasil, informou que a falta de recursos financeiros estava paralisando as atividades do Judiciário em vários estados da Federação, destacando seis em que a situação era mais crítica. Segundo o jornal, vários governos estaduais, alegando dificuldades financeiras, estavam deixando de cumprir a norma constitucional que determina o repasse das cotas mensais do Poder Judiciário até o dia 20 de cada mês. No Mato Grosso do Sul, isso já vinha ocorrendo havia quatro meses, e por esse motivo estava iminente a suspensão de todas as atividades ligadas à justiça. Também nesse caso, os chefes do Executivo alegaram desperdício de recursos financeiros pelos tribunais. Há ainda a agravante de que, baseando-se em sua autonomia constitucional e na separação dos Poderes, os tribunais de justiça, que são os tribunais superiores estaduais, negavam-se a prestar esclarecimentos sobre suas despesas, recusando-se a atender aos pedidos de informações do Legislativo e do Executivo.

Essa é, em síntese, a situação atual dos tribunais brasileiros quanto à sua independência financeira, que, na realidade, é precária. O mecanismo estabelecido na Constituição para cobertura das despesas do sistema judiciário reduz consideravelmente o alcance da norma constitucional constante do artigo 99, segundo a qual "ao Poder Judiciário é assegurada autonomia administrativa e financeira". Como fica evidente, existem vícios acumulados que impedem o funcionamento pleno e eficaz do Poder Judiciário, devendo-se reconhecer que este é, em parte, responsável por suas próprias dificuldades. Além da tradicional submissão ao Poder Executivo, o Judiciário sempre pretendeu agir como se fosse imune à responsabilidade jurídica, negando-se a prestar contas de seus atos administrativos. Por outro lado, especialmente nos estados em que as velhas oligarquias continuam poderosas, o Executivo tem o vício histórico do comando autoritário e muitas vezes procede como se o Brasil não tivesse Constituição ou como se esta não adotasse a separação dos Poderes, declarando o Legislativo, o Executivo e o Judiciário "independentes e harmônicos entre si". O mais grave de tudo é que esse conflito entre os Poderes, situado no âmbito da autonomia administrativa e financeira, compromete gravemente a eficiência da prestação jurisdicional, prejudicando todo o povo, que tem reduzida a garantia de seus direitos.

A dificuldade de acesso aos juízes e as deficiências da organização e do funcionamento dos organismos judiciários têm graves efeitos anti-sociais e antidemocráticos. Para grande parte do povo a proteção judicial dos direitos praticamente não existe. E, quando se pede a prestação jurisdicional, a demora na obtenção de uma decisão, provocada pelo número insuficiente de juízes e agravada pela complexidade do sistema processual, torna o processo judicial muito dispendioso, o que favorece as camadas mais ricas da população, elitizando o acesso ao Judiciário. A par disso e numa visão mais ampla, muitos conflitos de direitos, que ocorrem a cada dia, ficam sem a possibilidade de uma solução pacífica, rápida e justa. Exemplo gritante disso é o que acontece com algumas comunidades indígenas do estado do Mato Grosso do Sul. Tendo invadidas por grupos poderosos as terras que tradicionalmente ocupavam, e que pela Constituição têm o direito de ocupar permanentemente e com exclusividade, essas comunidades foram forçadas a acampar nas beiras das estradas ou na periferia das cidades e vão morrendo de inanição, doenças e desespero, já tendo havido inúmeros casos de suicídios de jovens, enquanto esperam que a justiça garanta seus direitos.

Tudo isso afeta de modo especial a eficácia das normas relativas aos direitos fundamentais da pessoa humana e à proteção desses direitos, merecendo por isso uma séria e conseqüente tomada de posição, dos governos e de todos os que se preocupam com a justiça e a dignidade humana, pois vem afetando o desempenho do Poder Judiciário brasileiro, sobretudo com relação aos direitos humanos e sua garantia.

Reforma iniciada: o que já se fez e o que falta fazer

Um passo importante para a modernização e democratização da organização judiciária brasileira foi dado com várias inovações importantes introduzidas pela Emenda Constitucional nº 45, de 8 de dezembro de 2004. Uma dessas inovações foi a criação do Conselho Nacional de Justiça, com o objetivo fundamental, além de outros, de corrigir imoralidades e ilegalidades que ocorriam em muitos tribunais, fora de qualquer controle. Apenas como exemplo dos desmandos, era comum em Tribunais de Justiça dos estados a prática escandalosa do nepotismo, com a nomeação de parentes de desembargadores, sem concurso e sem qualquer exigência de qualificação profissional, para cargos muito bem remunerados, constatando-se com freqüência que os nomeados pura e simplesmente não faziam qualquer trabalho ou executavam tarefas que poderiam e deveriam ser atribuídas a funcionários de carreira, devidamente concursados. Além disso, foram noticiados muitos casos de má administração financeira, com desvio de recursos e favorecimento de amigos e parentes. Isso representava grave prejuízo para o povo, que, sendo o fornecedor dos recursos financeiros do Judiciário, era lesado pela ilegal e imoral utilização do dinheiro. Mas a má administração dos tribunais era também prejudicial ao bom desempenho das funções jurisdicionais, com prejuízo para toda a população.

O Conselho Nacional de Justiça, órgão administrativo não integrante do Poder Judiciário, composto de 15 membros, sendo seis integrantes da magistratura e nove externos a ela, foi criado para efetuar o controle administrativo e financeiro dos tribunais, tendo recebido também a incumbência de colaborar para o aperfeiçoamento do Judiciário e de zelar por sua autonomia. Atuando como um tribunal administrativo, tem competência para apreciar a legalidade dos atos praticados por membros dos órgãos do Poder Judiciário no que diz respeito à administração, podendo desconstituir medidas impróprias, revê-las ou fixar prazo para que se adotem as providências necessárias ao exato cumprimento da lei. Embora de criação muito recente, o Conselho já demonstrou que poderá ser muito benéfica sua interferência, podendo-se perceber que sua simples existência tem contribuído para a substancial redução do nepotismo nos órgãos do Judiciário.

Entretanto, por ser um órgão muito novo, sem antecedentes na organização pública brasileira, o Conselho vem suscitando controvérsias, já tendo havido reações a algumas de suas decisões, manifestadas às vezes com excessiva aspereza por membros dos tribunais superiores. Acusa-se o Conselho de ir muito além de suas atribuições legais, tomando decisões como se fosse órgão superior do Judiciário, bem como de pretender colocar-se acima da própria Constituição, reivindicando para seus membros remuneração acima dos limites legalmente estabelecidos. Tudo isso é efeito do noviciado, pois nunca existiu antes no Brasil um efetivo controlador dos órgãos superiores do Judiciário, não havendo, por isso mesmo, precedentes que possam orientar as decisões do Conselho Nacional de Justiça. Podem ocorrer algumas impropriedades em suas decisões, mas sua simples existência já é um dado positivo, e a experiência corrigirá eventuais falhas que possam ocorrer.

Um ponto de grande importância, que só tem sido abordado mediante decisões isoladas e de alcance relativamente reduzido, é o aperfeiçoamento do sistema processual brasileiro. Oriundo de um período de absoluta predominância do formalismo jurídico, uma das faces do positivismo, o sistema processual é muito complexo, cheio de minúcias que complicam e dificultam o andamento das ações. Além disso, estabeleceu-se um sistema em que é possível a utilização de uma enorme variedade de recursos como medidas protelatórias, criando-se um círculo vicioso, pois se um juiz tomar uma decisão negando seguimento a um recurso – por entender que este é meramente protelatório –, caberá recurso dessa decisão do juiz, e assim a protelação fica assegurada. Para eliminar esse tremendo vício será necessário um esforço conjunto do Legislativo e do Judiciário, com a participação ativa de advogados, do Ministério Público e de especialistas em direito processual que não estejam contaminados pelas mazelas do positivismo.

Aí estão os pontos mais importantes para a efetiva reforma do Judiciário, não se podendo perder de vista, obviamente, que essas reformas só serão possíveis e as que se concretizarem só terão efeito prático se a mentalidade dos magistrados for aberta às inovações e se houver, por parte da maioria, o compromisso de promover e aceitar mudanças, abrindo mão de privilégios acumulados e de uma aparência formal de prestígio, para que prevaleça o compromisso com a justiça.

A segurança tem jeito?

Luiz Eduardo Soares e Miriam Guindani

Um pacto republicano em defesa da vida

Introdução

A pergunta que dá nome à obra onde se publica o presente texto – O Brasil tem jeito? – expressa uma convicção e sintetiza um compromisso: sim, o Brasil tem jeito. Aceitamos, honrados, o convite para integrar o time de autores porque compartilhamos tanto a convicção quanto o compromisso que essa resposta exige. Não por acaso, o livro *Segurança tem saída*[1] abre com uma tese, proclamada como incitação ao otimismo, exatamente no mesmo espírito que inspira a nossa resposta:

Tem saída, sim. É perfeitamente possível conter a violência, salvar vidas, proteger o patrimônio, reduzir as desigualdades no acesso à justiça, exorcizar o medo, controlar a criminalidade e oferecer a todos uma segunda chance. Não digo que seja fácil ou rápido. Nem que se possa acabar com o crime, inteiramente. Nenhuma sociedade conseguiu essa proeza. Digo, sim, e reafirmo que o Brasil pode ser um país menos violento do que é. E isso pode acontecer em muito menos tempo do que se pensa.

Para sabermos o que fazer e como implementar as mudanças, temos de começar por identificar os problemas e o terreno minado no qual os promotores das reformas terão de operar. Por isso, expõem-se, a seguir, o diagnóstico da criminalidade, das instituições policiais, a proposta de reforma das polícias[2] e a análise do sistema penitenciário, acompanhada de sugestões[3] para políticas preventivas.[4]

Diagnóstico da violência criminal[5]

A violência criminal alcançou patamares insuportáveis, cuja gravidade não deve ser subestimada. A mídia tem focalizado os dramas cotidianos e o tem feito destacando os casos que atingem camadas socialmente privilegiadas, invertendo as características do processo em curso. Entretanto, a despeito de manchetes alarmistas, da retórica fetichista e de ênfases espetaculares, seria insensato afirmar que a insegurança brasileira tem sido causada pela atenção que lhe conferem os meios de comunicação, por mais que saibamos quão desagregador é o medo, fonte, em si mesma, de violência e da reprodução de desigualdades e preconceitos.

No contexto brasileiro, a cultura do medo, guardando a autonomia relativa que a distingue, não amplifica a magnitude dos problemas, apenas desloca a hierarquia de prioridades e reinterpreta – segundo interesses ideológicos e políticos específicos, nada universalistas – linhas de conexão causal.

Em todos os maiores estados brasileiros, mesmo havendo uma combinação de matrizes criminais,[6] articulando e alimentando dinâmicas diversas, tem se destacado o tráfico de armas e drogas, que cada vez mais se sobrepõe às outras modalidades criminosas, as subordina ou a elas se associa, fortalecendo-as e delas se beneficiando. Há fortes indícios de que a matriz mais perigosa e insidiosa, que cresce mais velozmente, instalando-se nas favelas, vilas e periferias urbanas, e adotando o domínio territorial e a ameaça a comunidades como padrão, a matriz mais apta a recrutar jovens vulneráveis e a se reproduzir, estimulada pela crise social e pela fragilidade da auto-estima, é o tráfico. Esta matriz da criminalidade tem assumido uma característica peculiar, ao infiltrar-se e disseminar-se como estilo cultural e meio econômico de vida, com seu mercado próprio e promissor.

Cerca de 45 mil pessoas morrem, todos os anos, vítimas de crimes intencionais – ou dolosos, na linguagem do direito penal. Quase 80% desses crimes são praticados com armas de fogo. Portanto, excluem-se, desse cálculo, as dezenas de milhares de vítimas de acidentes automobilísticos, que constituem outra fonte importante das mortes por causas externas – também elas integrantes do vasto painel da violência nacional. Isso significa que há 27 vítimas de crimes letais intencionais por 100 mil habitantes. Quando nos aproximamos dos dados com mais atenção, verificamos que, contemplando-se exclusivamente o universo masculino, o número dobra: são aproximadamente 50 vítimas por 100 mil homens brasileiros. Em seguida, analisando ainda com mais cautela as informações e restringindo o universo observado apenas aos jovens, entre 15 e 24 anos, concluímos que o indicador, novamente, dobra: são cerca de 100 vítimas por 100 mil jovens do sexo masculino, na faixa etária referida. Um exame ainda mais prudente revela que esse número pode mais uma vez dobrar em algumas favelas cariocas e em determinados bairros periféricos de Recife, Vitória e São Paulo.

Há, portanto, forte concentração no processo de vitimização letal, em pauta. E não apenas em relação ao sexo e à idade. Pesquisadores têm constatado, nos últimos 15 anos, indícios indiscutíveis de que os que morrem são, em sua maioria, pobres e negros. O Brasil, como se sabe, é o país das desigualdades. Aqui, a pirâmide da renda nacional aparece invertida: os que menos têm – acesso à renda e à escolaridade, à saúde de qualidade, à habitação, ao transporte e à infra-estrutura urbana – são os que mais se expõem aos riscos de se tornar vítimas de homicídios dolosos ou outras formas da criminalidade letal.

Diagnóstico e propostas de reforma das instituições policiais

A violência letal promovida pelo Estado (crimes do Estado)

Seria possível derivar dessas observações a hipótese que atribuiria responsabilidade ao Estado. E seria verdadeira esta suposição, na medida em que ao Estado caberia reduzir as desigualdades ou, pelo menos, reduzir – via políticas públicas específicas – o grau em que se manifesta a associação entre vulnerabilidade à vitimização letal e desigualdade no acesso aos direitos da cidadania e do desenvolvimento. Todavia, ao Estado pode imputar-se responsabilidade ainda maior e mais direta pelo processo de vitimização letal e não-letal. As polícias, os cárceres provisórios, o sistema penitenciário e o sistema socioeducativo, destinado aos jovens com menos de 18 anos em conflito com a lei, têm sido, sistematicamente, perpetradores de violações de direitos, de brutalidades graves e de crimes letais.

Para que se tenha idéia da gravidade do problema a que aludimos, no estado do Rio de Janeiro, em 2003, 1.195 pessoas foram mortas pelas polícias – mais de 65% das quais com sinais inequívocos de execução. Em 2004, as vítimas fatais foram 984. Em 2005, o número subiu para 1.087. Em 2006, apenas no primeiro semestre, 1.063 civis morreram, em ações policiais. Enquanto isso, entre 2004 e 2006, 110 policiais morreram em serviço. Quanto às vítimas das ações policiais, note-se que a quase-totalidade era de jovens negros e pobres, moradores das favelas e periferias. Tratava-se de uma espécie de efeito colateral do remédio empregado pelas autoridades, que tencionavam "combater" o tráfico de drogas e armas, no varejo, com incursões bélicas, sobretudo noturnas, nas quais não se faziam prisioneiros, não se aceitava rendição de suspeitos. Os números assustadores descrevem um verdadeiro genocídio, resultado de uma política deliberada de extermínio, absolutamente ilegal e arbitrária, que embutia a crença de que ao policial na ponta cabia identificar o suspeito, julgar o réu, sentenciar a pena capital e executá-la, no mesmo momento e em um único e contínuo procedimento, incorporando a autoridade judiciária e traindo todos os limites legais, na contramão das garantias constitucionais. As explicações se repetem na mídia: as mortes, especialmente dos inocentes, seria o preço a pagar na guerra sem trégua contra o crime.

É verdade que a brutalidade letal das polícias fluminenses é, no Brasil, inexcedível, mas é suficientemente eloqüente – isto é, expressivo da barbárie do Estado – o fato de que existam e persistam tais práticas, sem que o Ministério Público ou a justiça intervenham, sem que a opinião pública imponha às lideranças políticas alguma reação pronta e definitiva. Sobretudo considerando-se os seguintes fatores: a tática dos confrontos e das invasões bélicas – como se as favelas fossem território inimigo a devastar, povoado por inimigos a exterminar – não trouxe nenhum benefício para a segurança pública, como qualquer observador com um mínimo de bom senso anteciparia. Pelo contrário, a criminalidade perdura quando não se expande e prospera. Quanto mais se eliminam supostos traficantes varejistas, menos se focalizam e reprimem os negociantes atacadistas das drogas ilícitas e das armas (entre os quais policiais e políticos). Registre-se que os traficantes mortos nas favelas são substituídos, como peças de reposição, por outros jovens com baixa auto-estima, sem perspectiva e esperança, vulneráveis ao recrutamento por parte do crime. Os processos sociais em cujo âmbito a dinâmica criminal se reproduz permanecem intocados, dada a ausência de políticas preventivas. Alimentada pela brutalidade institucionalizada, a corrupção policial se difunde e corrói a legitimidade do conjunto das instituições públicas – lembremo-nos de que o policial uniformizado na esquina é o representante mais próximo e tangível do Estado para a maior parte da população. Os preconceitos e ódios se intensificam, o *apartheid* social se aprofunda, o medo sublinha o perfil do estigma, policiais honestos e honrados também se ferem e morrem nos conflitos e acabam como vítimas, mesmo quando são obrigados a agir como algozes – e são os únicos cobrados pela justiça, na remota eventualidade de um processo criminal.

As polícias brasileiras, como é óbvio, são personagens de nossa história e carregam, como se evidencia nos dados supra-expostos, as marcas de sua estrutura profunda: a via autoritária e excludente de desenvolvimento da modernidade capitalista não prescindia do recurso à força para realizar-se; além disso, a linguagem ambivalente de nossa cultura, a um só tempo individualista-igualitária e hierárquica, impedia, mesmo nos períodos democráticos, que os policiais falassem a língua dos direitos e da legalidade republicana, a despeito das determinações constitucionais.[7] As elites brasileiras compraziam-se em saudar as liberdades individuais que o igualitarismo legal consagrava, mas não se furtavam a autorizar as polícias a aplicar desigualmente as leis, conforme a classe e a cor do freguês, liberando-as inclusive para matar, em nome da ordem pública. Durante a ditadura que o golpe de 1964 inaugurou, vanguardas políticas radicalizadas das camadas médias urbanas conheceram na pele a violência policial arbitrária, mas o tema diluiu-se e perdeu nobilidade depois que as vítimas voltaram a ser os negros e pobres de sempre.

O lugar e a função das polícias, suas práticas, seus modos de organização, nunca mereceram a atenção das elites intelectuais, sindicais, econômicas, políticas ou religiosas, ressalvando-se honrosas exceções, nem ocuparam o centro da agenda dos movimentos sociais. Fato é que oscilamos da indiferença ao desespero, nas emergências, ou do imobilismo à improvisação voluntarista, que termina por preservar e fortalecer as velhas estruturas.

Evitemos naturalizar a brutalidade policial. Polícia não está destinada a ser, por natureza, o que tem sido no Brasil, nem a cumprir o papel que tem desempenhado – agindo sobretudo contra pobres e negros, mesmo quando os próprios policiais têm a mesma origem de suas vítimas. Paradoxalmente, eles também são vítimas de várias formas distintas de violência. A começar, são vítimas da socialização corporativa a que são submetidos e das condições de trabalho, freqüentemente indignas, a que têm sido relegados. A questão não é de natureza das instituições policiais, nem de essências ou de funções históricas mecanicamente determinadas e inalteráveis, mas de políticas de segurança pública, prioridades, compromissos democráticos com a eqüidade e com os princípios da cidadania. E isso tudo é indissociável da escolha do tipo de gestão, do modelo organizacional a adotar e das orientações valorativas a privilegiar.

Se é crime transgredir as leis, o Estado é criminoso não só ao matar, arbitrariamente, por meio de seu aparato policial, como também o é ao descumprir a LEP, no sistema penitenciário – conforme veremos adiante –, e o Estatuto da Criança e do Adolescente, no sistema socioeducativo, o qual, por isso, mimetiza o cárcere, produzindo as perversas implicações que se conhecem.

A irracionalidade das instituições policiais e um programa para a reforma[8]

As polícias brasileiras, respeitadas as variações regionais e as boas práticas locais – e ressalvadas as ilhas de excelência –, via de regra são ineficientes, ineficazes e não-efetivas no cumprimento de seu dever constitucional. Não investigam os crimes, não os previnem, não os reprimem com qualificação, nos marcos da legalidade. Sobretudo, não desempenham suas funções com eqüidade. Pelo contrário, seus focos seletivos reproduzem e reforçam a desigualdade no acesso à justiça, desde a abordagem à definição de prioridades. Tampouco valorizam seus profissionais. Os níveis de corrupção e brutalidade alcançam patamares inaceitáveis.

As características-chave, subjacentes às mazelas indicadas, são as seguintes:

(1) Fragmentação e impotência: o contexto institucional, por um lado, determina e, por outro lado, é condicionado pela falta de autoridade da União para induzir ações cooperativas, as quais seriam indispensáveis para que o trabalho policial alcançasse algum sucesso razoável, sobretudo considerando-se a tendência predominante de nacionalização e até transnacionalização da criminalidade, particularmente da criminalidade organizada, a mais perigosa (aquela que penetra as instituições públicas e as captura, em benefício de suas lógicas privadas e predatórias).

(2) Rigidez e desarticulação: a ausência de autoridade federal não corresponde, entretanto, a uma saudável descentralização republicana, federativa, flexível, ágil, adaptável a variações regionais

e locais, eficiente e sob controle mais direto da sociedade; corresponde, ao contrário, a centralização autoritária. Isso ocorre porque o contexto de fragmentação institucional, verificado na paisagem governamental federal, combina-se com os marcos legais (constitucionais), os quais impõem um modelo nacional único a todos os estados, o que engessa as instituições policiais estaduais e sua gestão. Esse modelo rígido único exclui os municípios de qualquer protagonismo na área da segurança pública (exceto por meio de políticas sociais preventivas). Observe-se que é grave tal exclusão, uma vez que os municípios são unidades de gestão mais adequadas à adoção de políticas de segurança, sejam preventivas – através de programas sociais e culturais focalizados –, sejam policiais, na medida em que permitem mais transparência administrativa, capilaridade de inserção e flexibilidade adaptativa a circunstâncias locais variáveis.

(3) Divisão irracional do trabalho: os marcos legais obstam a cooperação. A ruptura do ciclo de trabalho policial e a confusão legal (no nível municipal, atingindo as guardas civis, e na definição da identidade institucional das polícias militares), assim como o contexto institucional fragmentado, na esfera da União, separam as forças entre si, estimulam a competição negativa (do tipo soma zero) entre as corporações, não favorecem a integração orgânica, a coordenação sistêmica, nem a cooperação operacional. Surge daí mais uma combinação (aparentemente) paradoxal: entre a imobilidade policial – do ponto de vista das adaptações práticas e organizacionais a realidades dinâmicas e cambiantes – e a intensa agitação cotidiana das polícias, meramente reativa, que se perde no varejo e no voluntarismo espasmódico.

Dos itens (1) e (2) deduz-se perversa equação: associa-se, no Brasil, impotência do centro com rigidez antifederativa (uma camisa-de-força legal submete todos os estados e municípios a um modelo único nacional). Nesse sentido, pode-se dizer que o que caracteriza o Brasil, no campo das instituições da segurança pública, é uma paradoxal combinação de centralização com desintegração atomizante (decorrente da divisão irracional do ciclo do trabalho policial e de outras características das polícias que acentuam a fragmentação) ou de unidade verticalizada e rígida com atomização institucional e fragmentação operacional, ou de autoritarismo com impotência.

O que, definitivamente, não se logrou produzir no Brasil é a descentralização com integração sistêmica, envolvendo: respeito democrático e republicano à diversidade regional e local; controle externo com participação da sociedade; capacidade de cooperação interinstitucional; agilidade proativa; aptidão para gerar resultados, alcançar metas e solucionar problemas.

Do ponto de vista mais específico, os aspectos essenciais podem ser descritos como se segue:

(1) As polícias brasileiras, de um modo geral – é sempre importante sublinhar o fato de que variações locais e regionais não foram consideradas, em benefício da situação dominante e das tendências predominantes –, não têm tido êxito, isto é, não têm sido capazes, vale reiterar, de fazer a sua parte no esforço (interinstitucional e multissetorial) de controlar a criminalidade e reduzir a violência (mesmo focalizando-se somente os crimes mais graves e mesmo sabendo-se que o sucesso não depende apenas nem talvez principalmente das polícias, pois as políticas sociais e culturais preventivas cumprem ou poderiam e deveriam cumprir um papel decisivo nesta matéria). Além disso, elas têm sido mais brutais e corruptas do que seria aceitável – considerando-se que qualquer agência pública está sujeita a alguma dose de transgressão dos princípios que a governam. O conjunto da obra, por assim dizer, não é positivo e tem promovido crescente desconforto na população, seguido de descrédito – quando não de medo e repulsa.

(2) O cenário institucional, na esfera da União, não é alentador tampouco: a fragmentação é sua característica dominante.

(3) Os marcos legais vigentes são confusos, centralizadores e uniformizantes, ao mesmo tempo desintegradores. O resultado é

paradoxal: há uma camisa-de-força a engessar as polícias (e os estados, em suas potenciais iniciativas), mas o ambiente institucional induz ao isolamento das corporações e ao desenvolvimento de rivalidades entre elas.

(4) A PM se caracteriza sobretudo pelo engessamento vertical, que inviabiliza a distribuição de responsabilidades, a qual seria indispensável em caso de adoção de estratégias mais adequadas à sociedade complexa e democrática.

(5) A Polícia Civil carece de vertebração, hierarquia e disciplina, e mal se adapta à imagem que se faria de uma instituição dotada de unidade. Enquanto a PM se enrijece no centralismo, a Polícia Civil comete o erro inverso, ao dissolver-se na atomização das agências locais.

(6) Postas lado a lado, pela fratura do ciclo do trabalho policial (determinada pela Constituição), resistem à cooperação, por razões de natureza intrínseca à lógica organizacional e por motivações identitárias, culturais e corporativistas.

(7) Na esfera da formação e da capacitação das polícias, falta uma plataforma compartilhada em nível nacional que viabilize a cooperação interinstitucional e garanta a qualidade mínima indispensável.

(8) Na esfera dos dados, ou melhor, da gestão do conhecimento, novamente falta uma plataforma compartilhada em nível nacional que viabilize a cooperação interinstitucional e garanta a qualidade mínima indispensável.

(9) Na esfera da gestão e da estrutura organizacional, faltam condições que garantam a promoção do modelo racional-prospectivo (estruturado por novas funções, rotinas e processos, em torno da base: dados/diagnóstico-planejamento-avaliação/monitoramento), em lugar do modelo reativo.

(10) Na esfera da perícia, faltam condições que garantam a qualidade do trabalho e a cooperação interinstitucional.

(11) Na esfera do controle externo, faltam condições que viabilizem a cooperação interinstitucional e garantam a qualidade mínima indispensável – aqui entendida como a participação

da sociedade em defesa do respeito aos direitos humanos e da promoção da *accountability*.

(12) Na esfera da conexão com as políticas sociais preventivas, faltam normas gerais mínimas que imponham disposição cooperativa adequada, assim como o empenho na promoção de estratégias policiais mais adequadas à experiência democrática, em contexto de fortes desigualdades – como o policiamento comunitário e o policiamento voltado para a resolução de conflitos.

(13) O segundo emprego do policial, sobretudo na segurança privada, constitui um dilema especialmente difícil e importante.

(14) Além da exclusão dos municípios de participação correspondente a seu potencial na área da segurança pública, sobretudo na prevenção, o atual modelo institucional da segurança pública, no Brasil, tem convivido com a indefinição das guardas civis municipais, que já não são vigias do patrimônio público, mas ainda não são polícias, nem têm papel legalmente delimitado. Quando se reorganizam para atuar como quase-polícias, as guardas têm, com freqüência, copiado modelos peremptos das PMs, em vez de se constituírem como paradigmas das polícias eficientes e democráticas do futuro.

Os princípios regentes do diagnóstico e das propostas são redutíveis a uma equação simples: eficiência policial e respeito aos direitos humanos são mais do que meramente compatíveis entre si, são mutuamente necessários. Do diagnóstico, deduz-se o que é preciso fazer:

(1) Reverter a fragmentação verificada na esfera da União.

(2) Alterar o marco legal inadequado e restritivo, em nível constitucional e infraconstitucional.

(3) Estimular a adoção de programas modulares de reforma, orientados para a implementação de um modelo de polícia que vise construir instituições passíveis de gestão racional, voltadas para a redução da insegurança pública e o respeito aos direitos humanos.

(4) Apoiar experiências piloto promissoras e divulgar as boas práticas.

(5) Investir na sensibilização de gestores, legisladores e da opinião pública, para que os três primeiros itens se realizem.

(6) Valorizar o papel ativo dos municípios e de suas guardas civis na segurança pública.

O primeiro item[9] depende da vontade política do governo federal. A aplicação do plano vincularia a Secretaria Nacional de Segurança Pública à Presidência da República, integrando-se as polícias federais sob seu comando – na perspectiva de unificá-las, inclusive. É importante destacar que esta alternativa não seria a única capaz de reduzir os males da fragmentação. Ela talvez seja a mais simples e econômica. Poder-se-ia também pensar na criação de um Ministério da Segurança Pública ou na redefinição do Ministério da Justiça, reduzindo drasticamente suas atribuições, para que passasse a concentrar-se no campo da segurança, o qual envolve o sistema penitenciário. Nesse caso, o gabinete do ministro assumiria as responsabilidades hoje conferidas à Senasp, e os dois departamentos de polícia federal se fundiriam. É importante que se compreenda o seguinte: sem a instituição de uma agência dotada de autoridade e poder real de comando, que integre os meios operacionais, reúna os mecanismos de implantação de políticas e coordene as principais fontes de recursos específicos, será impossível alterar o atual quadro, que se caracteriza por dispersão das iniciativas, superposição de responsabilidades, multiplicidade de fontes geradoras de diagnósticos e ações, pulverização da liderança institucional, emprego sem critérios de recursos, falta de mecanismos e métodos de acompanhamento e avaliação das ações financiadas pela União, e autonomização atomizante dos meios operacionais. Tudo isso tem resultado na inércia governamental, no desperdício de recursos federais e, portanto, na irracional ausência de política.

De todo modo, se a desconstitucionalização e a normatização do Susp fossem aprovadas pelo Congresso Nacional, as tarefas da União tornar-se-iam mais factíveis, objetivas e sujeitas a controle externo: elas se concentrariam, de um lado, na revisão eventual das normas que orientariam o Susp e na fiscalização de seu cumprimento, empregando os recursos do Fundo Nacional de Segurança

Pública para facilitar a implantação do novo sistema; por outro lado, se devotariam a dirigir a nova polícia federal unificada – investindo em moldá-la, de acordo com as orientações do Susp.

O segundo item refere-se a alterações nos marcos legais.[10] O Brasil é um país de dimensões continentais e socialmente muito complexo, muito diversificado, o que recomenda respeito à autonomia republicana e federativa dos estados, evitando-se a imposição de modelos únicos, por natureza insensíveis às peculiaridades locais – quaisquer que sejam seus méritos intrínsecos e os benefícios que ofereçam a algumas unidades da Federação. Sendo assim, não faz sentido manter o antigo diálogo, ou melhor, o velho conflito que há mais de 20 anos opõe os defensores da unificação das polícias e os defensores do *status quo*. Se o problema não está nas deficiências de um ou outro modelo, mas na imposição do mesmo modelo a todos os estados – e permanentemente eternizando padrões tradicionais, sem que se lhe tenhamos explorado os limites de modo crítico –, a disputa deixa de ser por um ou por outro (unificação ou *status quo*) e passa a ser em torno de um sem-número de opções – nesse caso, a imaginação, a observação crítica da experiência nacional (à luz das experiências internacionais) e o bom senso são os limites: poder-se-iam conceber modelos unificados, regionais, metropolitanos, municipais, militarizados ou não, polícias divididas territorialmente ou segundo a gravidade dos crimes etc.

Com a desconstitucionalização, alguns estados mudariam suas polícias; outros, não, seja porque consideram bom o modelo de que dispõem, seja porque não têm força política para operar a mudança. De todo modo, as eventuais dificuldades políticas de alguns estados não se exportariam, automaticamente, para os demais, como ocorre quando a questão é "unificam-se as polícias ou não", como solução única para todo o país.

Algumas polícias militares são instituições bastante prestigiosas ante a opinião pública, como é o caso da PM de Minas Gerais e da Brigada Militar, do Rio Grande do Sul, para citar apenas dois exemplos. Dificilmente algum governador e alguma composição na Assembléia Legislativa conseguiriam diluí-las numa unificação policial. Os vetos de Minas e do Rio Grande do Sul, estendidos em suas articulações políticas, seriam suficientes para bloquear, por exemplo, as mudanças radicais exigidas pela ampla maioria da população fluminense. Até porque as necessidades efetivamente são distintas – não só a opinião pública varia, mas também a qualidade dos serviços prestados e dos problemas acumulados, em cada estado, em cada instituição. Até a resistência corporativista dos *lobbies* policiais declina quando se passa da disputa em torno da unificação para a disputa em torno da desconstitucionalização. Os lobistas sabem que, mesmo porventura derrotados no Congresso, ainda teriam oportunidade de resistir a mudanças na esfera estadual.

Ainda que todos os estados decidam manter o *status quo*, em o fazendo, se credenciariam a cobrar das polícias resultados e programas de aperfeiçoamento – estando todos os atores conscientes de que, a qualquer momento, o tema da mudança na Constituição estadual poderia voltar a colocar-se. A desconstitucionalização, uma vez decidida no Congresso Nacional, abriria uma fértil temporada de debates nos estados sobre os benefícios e malefícios de cada modelo – o que desnaturalizaria, para os policiais e a população, a imagem hoje cristalizada do que seja e possa vir a ser a polícia.

Além da PEC em prol da desconstitucionalização, seria necessário estipular algumas regras gerais, de validade nacional, para garantir o salto de qualidade e para evitar que a criatividade e o experimentalismo – estimulados pela PEC – gerem mais fragmentação e obstáculos à cooperação do que já temos hoje (o que certamente seria difícil, dado o grau atual do problema). Essas regras gerais são as normas para a criação do Susp, o "Sistema Único de Segurança Pública".[11] As regras em pauta determinariam a criação de:

(1) Um ciclo básico (um currículo mínimo) comum, obrigatório para a formação de todo profissional de segurança pública, no Brasil.

(2) Uma linguagem informacional comum para todas as polícias, uniformizando-se as categorias e as plataformas de permuta de dados (que teriam tempo de adaptar-se ao novo sistema, o qual exigiria informatização).

(3) Uma sistemática de gestão aberta à avaliação e ao controle externo.

(4) Cotas orçamentárias fixas, destinadas ao investimento em perícia.

O terceiro item menciona a necessidade de que se estimule a adoção de programas modulares de reforma, orientados para a implementação de um modelo de polícia que vise construir instituições passíveis de gestão racional, voltadas para a redução da insegurança pública e o respeito aos direitos humanos. Programas modulares de reformas são aqueles que se desdobram no tempo, avançando por estágios cumulativos, gradualmente, e criando, em seu processo de desenvolvimento, progressivamente, em cada etapa, as condições para o avanço subseqüente, que se materializa na realização do próximo estágio.

Focalizemos as áreas decisivas para a reforma das polícias: formação, informação, gestão e estrutura organizacional, perícia e controle externo.

Na formação, as mudanças devem dirigir-se progressivamente para o ensino integrado oferecido às duas polícias em cada estado – sem prejuízo dos investimentos diferenciados nas respectivas especialidades. O ciclo básico nacional unificado deve realizar-se, nos estados, nos marcos de um processo integrado de ensino, cujo desenvolvimento deve fazer-se acompanhar de investimento na capacitação continuada, também de uma perspectiva integrada. A formação integrada deve caminhar paralelamente à integração dos territórios sob responsabilidade de cada polícia estadual – conforme indicações já expostas no presente relatório. Como a cada área integrada de segurança deve corresponder a criação de um conselho comunitário, aberto à ampla participação popular, seria importante que esse processo de integração das polícias, aperfeiçoamento da formação, investimento na capacitação e abertura à participação social, viesse articulado com a criação de ouvidorias das polícias, para o exercício do controle externo; ouvidorias unificadas em cada estado, independentes do poder político e dos comandos das polícias, e com autoridade e recursos – humanos, tecnológicos e materiais – para realizar investigações.

A geração de bancos de dados aptos à permuta de informações – isto é, mutuamente compatíveis – e a uniformização das categorias de referência exigem a negociação entre as autoridades nacionais, representando a Senasp, e as autoridades estaduais, de um cronograma de adaptação à plataforma comum. O primeiro passo seria o estabelecimento de uma tabela de conversões, capaz de traduzir a pluralidade das classificações em uma linguagem nacional. O processo envolve a integração, na esfera da informação, entre as polícias civis e militares estaduais – e a interação com o sistema penitenciário, o Ministério Público e a justiça.

A estrutura organizacional das polícias, como vimos, deve ser qualquer modelo que responda às necessidades de uma gestão racional, comprometida com o cumprimento da lei, o respeito aos direitos humanos, a eficiência preventiva e investigativa, e a recuperação da credibilidade popular perdida. Isso envolve a criação de posições, funções, rotinas e processos decisórios compatíveis com a necessidade de controle interno, planejamento e avaliação das ações. Cabe às autoridades nacionais submeter o repasse de recursos oriundos do Fundo Nacional de Segurança Pública ao cumprimento de metas de curto, médio e longo prazos, definidas a partir das exigências impostas pela adoção de um sistema adequado de gestão. Em outras palavras, deve caber ao governo federal exigir dos governos estaduais que se comprometam com as metas e com seu cumprimento, ao longo de determinado período. Tais metas não se limitam a resultados na prevenção e no combate ao crime (posto que os resultados derivam de uma multiplicidade de fatores não apenas das instituições da segurança pública), mas envolvem impulso a reformas organizacionais, que produzam novas condições de trabalho policial e controle sobre seu exercício.

A recuperação da perícia sucateada é uma das metas previstas no Plano que concebeu o Susp. Caberia ao governo federal, por meio da Senasp ou do órgão competente (no caso de haver mudanças na esfera da União), repassar recursos do Fundo para induzir a reforma da perícia, de acordo com as linhas indicadas no item deste relatório dedicado ao tema. Essa reforma seria modular, isto é, progressiva e cumulativa, avançando pelo cumprimento sucessivo de metas parciais, previstas em cronogramas negociados. Seu objetivo seria alcançar a descentralização combinada com a integração sistêmica.

Para que se entenda essa proposta,[12] é preciso esquecer modelos abstratos ideais e pensar no Brasil, em sua dura realidade, marcada por um imenso problema de brutalidade e corrupção policiais e ampla cumplicidade com o crime. Quando as polícias forem diferentes e um quadro institucional de integração e racionalidade garantir eficiência, respeito às leis e aos direitos humanos, a reinclusão da perícia nessa estrutura renovada pode, perfeitamente, colocar-se, com toda pertinência e legitimidade, em nome do aperfeiçoamento da eficiência e da integração. A autonomia, hoje, é uma aposta política, conjuntural, que visa criar as melhores condições para que a perícia se reconstitua, com vigor e de forma minimamente segura.

Os itens quarto e quinto prescindem de explicações, considerando-se o âmbito do presente artigo e os argumentos até aqui expostos.

O sexto item recomenda valorização do papel dos municípios, via aplicação de políticas sociais de prevenção e criação de guardas civis, preparadas para serem paradigma das polícias do futuro,[13] isto é, organizadas com base em novos compromissos nas áreas da formação, informação, estrutura organizacional, gestão, articulação com a perícia, controle externo e diálogo com a sociedade.

Diagnóstico do sistema prisional brasileiro

A cada ano, um número significativo[14] de indivíduos entra e sai do sistema de justiça criminal[15] sem a devida rede de proteção social (via políticas sociais) e sem o respectivo acesso à justiça, conforme previsto nas legislações constitucional e infraconstitucional, e nos tratados e convenções internacionais. A sua maioria, composta por jovens[16] negros e pobres, apresenta enorme vulnerabilidade psíquica e social para lidar com as múltiplas expressões da "questão social", especialmente no acesso ao mundo do trabalho. Sua progressiva liberação (regime semi-aberto, liberdade assistida ou condicional) muitas vezes é o reinício de um processo de estigmatização, vitimização e criminalização terciária[17] (a média nacional de reincidência é de 70%).

A Lei de Execuções Penais assegura vários direitos, como assistência social e psicológica, aos quais, entretanto, não se tem acesso. Dentre os direitos sociais mais violados, destacam-se:

(1) O trabalho, pois apenas 26% dos presos estão em atividades laborativas, conforme pesquisa coordenada por Julita Lemgruber.[18] Além disso, as condições da vida carcerária restringem esse direito a apenas uma minoria, sendo ainda objeto de controvérsia a sua exploração, pois os sujeitos presos não contam com qualquer benefício previdenciário.

(2) A assistência médica aos sujeitos presos é negligenciada, desde os atendimentos mais simples, como moléstias de pele, ocorrências dentárias, pequenos curativos, até problemas complexos, como acidente vascular cerebral, acidente cardiovascular e câncer. Os dependentes químicos e aqueles que chegam a desenvolver doenças mentais após o encarceramento não recebem assistência adequada, na maioria dos estabelecimentos. Quase 60% dos estados não possuem convênio com o Ministério da Saúde.

(3) A assistência jurídica, que representa uma das necessidades prioritárias para os sujeitos presos – a ponto de converter-se, inclusive, em motivo de muitas rebeliões –, tem se revelado lenta e incipiente.

(4) Somente 17% dos presos estão vinculados a algumas atividades de ensino.

(5) A violação de correspondências ocorre em 60% dos estabelecimentos.

A par disso, há o descaso das autoridades, a impunidade dos agentes do Estado e a descrença, por parte da população carcerária, de que o sistema prisional possa ser justo, já que os mecanismos que protegem o sujeito preso são precários. A corrupção (desvio de alimentação, tráfico ou porte de drogas e armas, facilitação de fugas) tornou-se rotina, demonstrando a existência de inúmeras falhas administrativas, o despreparo dos agentes e as relações violentas entre presos, funcionários e autoridades.

Em todos os estados do país, há unidades prisionais interditadas pelas autoridades responsáveis pela fiscalização das prisões (Vigilância Sanitária, Ministério Público, juízes de execução). Devido à superlotação do sistema, os órgãos executores não cumprem as ordens de desativação dessas unidades. Em muitas penitenciárias do país, a militarização dos serviços penitenciários é a opção para conter os problemas criados pela falta de profissionais e os riscos de segurança – contrariando, dessa forma, as Regras Mínimas de Organização, das Nações Unidas, e outros tratados que o país ratificou para o tratamento dos presos. Os presos não são separados por tipo e gravidade do delito, conforme prevê a lei, e o sistema é chamado, comumente, "escola do crime". Além disso, estabeleceu-se uma prática, naturalizada pela própria organização – e reveladora da fragilidade do sistema –, de se separarem os sujeitos presos segundo seus alinhamentos a facções criminosas – os quais têm de ser declarados e assumidos, mesmo quando inexistentes. Outros dois graves problemas merecem ênfase: o egresso não é apoiado para reinserir-se na comunidade; e os agentes penitenciários raramente contam com escolas de formação e uma carreira – o que reduziria a corrupção e aperfeiçoaria seu trabalho.

Se não garante direitos consagrados na LEP (Lei de Execuções Penais, promulgada em 1984), o sistema penitenciário brasileiro, de um modo geral, não é mais eficiente e legalista no controle da massa carcerária e na repressão a ações criminosas, cometidas tanto no interior quanto no exterior das unidades prisionais, por meio de ordens transmitidas pelas vias mais diversas. Combinando-se as duas faces da incompetência institucionalizada e da ilegalidade, temos o pior dos dois mundos: nem direitos assegurados, nem deveres impostos. A primeira falha gera indignação e revolta na massa carcerária. A segunda propicia a transformação do ressentimento em atos concretos de rebeldia e retaliação.[19]

Por outro lado, a (in)segurança compartilhada, após alguns dias de motins e rebeliões, produz reações adversas – como, por exemplo, a sensação de descontrole estatal e a difusão do sentimento de vingança –, as quais vêm estimulando uma agenda pública voltada para o agravamento de penas, o encarceramento e o fortalecimento de mecanismos de controle repressivos e punitivos. Ou seja, a ausência do Estado democrático de direito, via garantia de direitos e aplicação de políticas sociais, enseja o descontrole que se espraia e passa a ser enfrentado por tentativas de um controle estatal e paraestatal de tipo unilateralmente repressivo, com freqüência com elevadas doses de arbítrio (vide as "milícias" formadas por policiais, que atuam em cerca de 90 comunidades pobres do Rio de Janeiro, competindo em tirania e arbítrio com os traficantes varejistas de drogas).

Os poderes públicos estatais (nos seus diversos níveis e esferas), ao assumirem sua fragilidade[20] (vide reações às crônicas crises dos sistemas de justiça criminal do Rio de Janeiro e de São Paulo), apostam em estratégias de divisão de responsabilidades, delegando, em parte, a proteção da sociedade aos mecanismos de controle privados. Observe-se que há, no Brasil, cerca de 550 mil policiais e mais de 1 milhão e 200 mil profissionais da segurança privada (os dados sobre os vigilantes privados oscilam entre 1,2 milhão e 1,8 milhão, porque não há informações confiáveis, dada a natureza informal e ilegal da imensa maioria). Os filiados da Associação Comercial do Estado do Rio de Janeiro, por exemplo, gastaram 3 bilhões de reais (cerca de 1,5 bilhão de dólares) com segurança privada, em 2005. Registre-se que este valor corresponde, aproximadamente, ao orçamento público da segurança fluminense. Em São Paulo, o setor comercial da economia gastou pouco mais do que o dobro, no mesmo período, também empatando com o orçamento público daquele estado.

Por outro lado, o mesmo Estado que reconhece suas fragilidades, "enfrenta" tal situação de forma virulenta, empregando respostas autoritárias que violam direitos, como dissemos acima. Quase sempre são ações reativas de efeitos midiáticos, exibições perversas dos símbolos do poder de Estado, que manipulam emoções para restaurar sua combalida legitimidade, corroída pelo medo e a insegurança. Tais movimentos encontram eco em discursos políticos que apostam no sentimento popular de vingança contra criminosos, e que investem na produção de uma legislação marcada por penas longas e cruéis, as quais, pelo simbolismo que encerram, produziriam uma generalizada sensação de segurança.[21]

Algumas lições e alternativas

Que lição nós, os defensores dos direitos humanos, da Constituição federal brasileira e do Estado democrático de direito, extraímos desse diagnóstico?

O sistema brasileiro de políticas criminais,[22] em nome da "segurança pública", vem reproduzindo uma vertente ideológica dominante muito distante da lógica democrática das políticas públicas de seguridade social, afirmada na Constituição de 1988. Essas políticas induzem à (e se reproduzem na) perseguição de "jovens perigosos" e ao combate bélico a territórios ("zona de riscos") que, supostamente, ameaçam a ordem instituída. A par disso, o processo de reconstrução da democracia[23] brasileira, em curso desde o final da década de 1980, também se caracteriza por incongruências – especialmente identificadas na dissonância entre as políticas de justiça criminal (em particular as políticas de segurança, que envolvem o comportamento policial, e aquelas que caracterizam o sistema penitenciário) e a lógica democrática que norteou outras políticas públicas, sobretudo nas áreas de saúde e assistência social (são os casos do Sistema Único de Saúde e do Sistema Único de Assistência Social). As instituições da segurança pública e o sistema penitenciário[24] ainda apresentam – como vimos, o mesmo se aplica ao caso das polícias – significativas resistências à assimilação dos novos padrões e valores dos direitos humanos e do Estado democrático de direito.

É necessário compreender, ainda, que o ingresso e a permanência dos presos do sistema penal, bem como sua saída, exigem uma política criminal integrada (das várias instituições da justiça criminal), e que a elasticidade não se pode dar no ingresso, se não houver vagas suficientes e em condições compatíveis com as determinações legais. Isso nos conduz a duas propostas: (1) não são necessárias penas mais longas ou duras, mas a certeza da punição, por um lado, e o cumprimento da LEP, por outro; (2) é preciso que o Judiciário aplique mais as penas alternativas à privação da liberdade, deixando o cárcere para os criminosos violentos – é necessário que o Legislativo flexibilize o código, quando se trata de crimes não-violentos. Para que mais penas alternativas sejam aplicadas e fiscalizadas com rigor, seria conveniente que os municípios cooperassem com a justiça, oferecendo oportunidades e monitorando o cumprimento de tais medidas.

Por isso, defendemos que a adoção de uma política penitenciária, compatível com os esforços de democratizar-se, promovendo a segurança e a justiça, com eficiência e respeito aos direitos humanos, se realize a partir de algumas decisões estratégicas,[25] como:

- Fazer com que os Conselhos Nacionais e Estaduais de Política Criminal e Penitenciária cumpram suas finalidades e fiscalizem os estabelecimentos prisionais.
- Normatizar a utilização de recursos públicos (Fundo Penitenciário), para que se vincule à contribuição mais efetiva das bases comunitárias, orientando-se para fins educativos e de assistência à saúde dos apenados, visando também criar ou fortalecer canais institucionais com as demais políticas sociais e, assim, estimulando a interação da rede comunitária local com o sistema prisional.
- Descentralizar administrativamente as casas prisionais, visando à promoção de melhores relações das comunidades carcerárias com a vida social externa aos muros da prisão e conferindo mais autonomia aos processos de inclusão social dos sujeitos apenados. Nessa perspectiva, a prisão passaria a ter um papel de inclusão social, ao invés de desempenhar uma função de mero isolamento, com aumento da estigmatização e da degradação social dos indivíduos apenados.
- Remover para casas de custódia, imediatamente, todos os presos que permanecem sob responsabilidade da Polícia Civil, nas delegacias.

- Criar ouvidorias em todos os sistemas penitenciários do país.
- Financiar projetos que visem estimular a aplicação de medidas alternativas às formas tradicionais da execução penal.
- Ampliar a área de ensino do Sistema Penitenciário Estadual, por meio do apoio às já instaladas escolas penitenciárias; constituir grupos volantes de apoio técnico ao interior do estado, aos quais caberia elaborar, junto com os técnicos do sistema penitenciário e operadores do direito, regimentos internos e manuais de procedimentos (por exemplo, quanto ao uso da força, atuação em rebeliões, revista de visitantes, formas de fiscalização do trabalho extramuros), entre outros.
- Criar, em parceria com universidades, cursos de pós-graduação *lato sensu* para profissionais que busquem aprofundar o conhecimento sobre política penitenciária, criminologia e segurança pública, aí incluído o sistema de justiça criminal. Oferecer linhas de crédito, via instituições de fomento à pesquisa, para a concessão de bolsas a estudantes universitários que estagiem no sistema penitenciário (celebrar convênios com universidades) e para o financiamento de pesquisas e trabalhos sobre prisões. Observe-se que a bibliografia brasileira sobre o tema é incipiente e mudanças efetivas nesse universo somente serão possíveis se essa realidade for mais estudada e a sociedade estiver mais envolvida com essa problemática.
- Fortalecer as "Centrais de Penas Alternativas", com efetivo apoio técnico e financeiro às regiões e comarcas que criarem seus próprios programas de penas alternativas, principalmente com prestação de serviços à comunidade.
- Implementar programas sustentáveis de apoio financeiro ao egresso, notadamente de preparação para a liberdade, com ênfase nos últimos três meses que antecedem o término da progressão de regime, da liberdade condicional e da liberdade total.
- Efetivar convênio entre o Ministério da Saúde e casas especiais de redução da vulnerabilidade penal dos dependentes químicos, destinadas aos infratores primários que cometem pequenos delitos.

- Estimular a criação de fundações do trabalho prisional que promovam a prestação de serviços para diferentes órgãos públicos, assegurando-se que o dinheiro arrecadado seja destinado à profissionalização e à capacitação do apenado.
- Estimular a capacidade empreendedora dos apenados, por meio de projetos de cooperativas locais/municipais.
- Estimular, por intermédio de incentivos fiscais (federais, estaduais e municipais), os pequenos e médios empresários a que valorizem a mão-de-obra do preso em regime fechado, semiaberto e do egresso do sistema prisional.
- Agilizar a implantação do Infopen em todo o sistema penitenciário do país.
- Estimular a criação de observatório das dinâmicas criminais, em que se envolveram os apenados e que os levaram à prisão.
- Prestar apoio financeiro e técnico à informatização das fichas e cadastros dos apenados, de tal modo que se evitem os atrasos na concessão do benefício da progressão da pena.
- Manter financiamento aos projetos de mutirão de execução penal e de assessorias gratuitas, destinadas a registrar em bancos de dados a situação jurídica da população atendida.
- Formar equipe multidisciplinar de engenharia e arquitetura, visando à elaboração de propostas alternativas para a construção de presídios, albergues e obras afins.
- Limitar o número de vagas na construção de novos estabelecimentos prisionais. Cada estabelecimento não deve oferecer mais do que 150 vagas. Definir o número máximo de apenados a serem atendidos por agente penitenciário.

É verdade que o país ganharia se gastasse mais com educação. Mas não é verdade que devamos depreciar os gastos com o sistema penal, porque essa atitude impede o respeito do Estado à LEP. Um Estado que desrespeita a lei comete crime. Em o fazendo, estimula a violência dos presos. Quando explode a barbárie de rebeliões e atentados, o Estado tende a trocar a firme ação legal pela *vendetta* – infelizmente, é o que freqüentemente acontece. Nesses casos, a espiral de violência se retroalimenta e o crime acaba vencendo, na medida em que o Estado renuncia ao direito e imita seus inimigos.

Políticas de prevenção da violência criminal para além da esfera do sistema de justiça criminal

Políticas[26] que visam prevenir a violência criminal não são políticas estruturais, de longo prazo, destinadas a agir sobre as macroestruturas socioeconômicas do país. Geralmente, a suposição inversa provoca equívocos, mal-entendidos e dificuldades de toda sorte.

Em primeiro lugar, porque induz ao imobilismo: "enquanto não se eliminarem as grandes iniqüidades estruturais da sociedade brasileira, nada se poderá fazer para conter a insegurança", dizem aqueles cujo ceticismo se funda na crença de que ou se faz tudo, ou nada resta a fazer; ou se alteram as causas profundas e permanentes, ou estaríamos condenados a enxugar gelo.

Em segundo lugar, tal convicção, na medida em que nega a possibilidade de soluções a curto prazo, leva a população à descrença, à frustração e ao desespero – sendo, esses sentimentos, eles próprios graves fatores de risco e denso adubo para propostas autoritárias (do tipo: cercar as favelas, armar a população, erguer muros mais altos, trocar a segurança pública por soluções privadas, estimular a prática brutal e arbitrária do "justiçamento", apoiar a brutalidade policial, instaurar a pena de morte, reduzir a idade de imputabilidade penal etc.), as quais terminam por realimentar o círculo perverso da violência.

Pelo contrário, a melhor experiência nacional e internacional demonstra, com fartura de exemplos e argumentos, a possibilidade de combinar ações públicas de natureza preventiva com presteza de resultados, o que pressupõe a possibilidade de que políticas de prevenção sejam eficientes mesmo não atuando sobre causas estruturais ou incidindo sobre macroestruturas.[27]

Em outras palavras, há como agir – de modo eficiente, em curto espaço de tempo e mobilizando poucos recursos – sobre as dinâmicas imediatamente geradoras daqueles fenômenos que desejamos evitar ou conter. A repressão não tem o monopólio da urgência e do pronto emprego, além de nem sempre ser eficiente. A prevenção pode ser ágil, rápida, barata e mais eficiente.

Poder-se-ia sempre ponderar: as políticas preventivas que não visam mudanças estruturais são superficiais e não impedem o retorno do problema que se deseja evitar. É verdade. Mas elas salvam vidas, reduzem danos e sofrimentos, tornam a vida mais feliz. Em o fazendo, as políticas preventivas instauram padrões de relações, suscitam sentimentos e acionam percepções coletivas que se convertem, elas mesmas, em causas de situações menos permeáveis às pressões dos fatores indutores de vulnerabilidade ao envolvimento com dinâmicas criminais.

Em segurança pública, as conseqüências tornam-se causas, no movimento subseqüente do processo social: determinadas condições favorecem a prática de crimes; os crimes expulsam empresas, o que aumenta o desemprego, ampliando as condições para o crescimento de certas formas de criminalidade etc. E o ciclo dá mais uma volta em torno do mesmo eixo.

O contrário também é verdadeiro: reduzindo-se a criminalidade e a intensidade da violência aplicada, fixam-se empreendimentos geradores de renda, aumenta a oferta de emprego, as condições sanitárias e urbanísticas evoluem, e assim sucessivamente, na direção do estabelecimento de um círculo virtuoso.

Desse ponto de vista, conclui-se que agir tópica e superficialmente sobre causas imediatas dos crimes, reduzindo o número de vítimas, a taxa de risco, o grau de propagação do medo, e a sensação de insegurança, termina sendo muito mais que enxugar gelo, mesmo se as ações em pauta não atingem os núcleos estruturais dos problemas.

O crime torna-se causa do crime, pela mediação da economia e de outras esferas da vida social. Atuando-se sobre o crime, interrompe-se uma dinâmica autofágica, porque se afeta, positivamente, o conjunto dos fatores que funcionam como causas mediatas e imediatas do crime. Menos crime equivale a melhor economia, melhor qualidade de vida e, conseqüentemente, ainda menos crime.

Esse raciocínio se assenta no pressuposto, hoje amplamente aceito, de que o crime é causa da crise social e econômica, tanto quanto seu reflexo.[28]

Portanto, e curiosamente, agir contra o crime é incidir sobre suas causas.

Nesse sentido, perde relevância a distinção entre políticas preventivas estruturais e tópicas, ao menos na medida em que ambas interceptam dinâmicas que concorrem para a geração dos fenômenos que desejamos evitar. Ou seja, ambas são importantes e têm seu lugar. E não se justifica sacrificar as políticas tópicas em nome da suposta superioridade (ou, pior ainda, exclusividade) das políticas estruturais.

Tem-se como pressuposto que as políticas sociais, econômicas e urbanas, promovidas pelas administrações municipais, são fundamentais à prevenção do crime e da violência, devendo complementar a atuação articulada do sistema de justiça criminal (polícias, órgãos judiciais e sistema penitenciário), orientada – supostamente – por objetivos comuns: resolução pacífica dos conflitos urbanos, prevenção do crime e redução da reincidência criminal.

A prevenção (cuja fonte deve ser sobretudo municipal) deve ter o compromisso ético-político de proteger, principalmente, as pessoas mais vulneráveis a processos de criminalização e vitimização, sendo esta, reconhecidamente, uma das principais demandas da população em situação de pobreza, em particular dos jovens e das famílias em situação de risco. Nesse sentido, as ações de prevenção primária e secundária da segurança municipal devem constituir-se em duas frentes complementares: situacional e social. As primeiras voltam-se para o ambiente e o sistema que favorecem e alimentam a dinâmica criminal; as segundas focalizam os fatores estruturantes da vulnerabilidade criminal – desigualdade social, fragilização dos vínculos familiares/sociais, cultura do tráfico de drogas, violência interpessoal e intrafamiliar.

Diagnósticos locais

Políticas preventivas eficientes dependem de diagnósticos precisos, gestão participativa, circunscrição territorial, autoridade política e articulação intersetorial. Não há modelos únicos e gerais, aplicáveis em todas as cidades de todo o país. Mas há condições gerais que devem ser observadas, para que se alcance um nível superior de eficiência. A primeira delas é justamente o cuidado com as generalizações. A qualidade de uma política depende da consistência de cada programa, cada projeto e cada ação. E esta consistência depende, por sua vez, do conhecimento de cada bairro, região da cidade, praça ou rua.

Qualquer que seja o diagnóstico local sobre a dinâmica da criminalidade, será sempre indispensável reconhecer a multiplicidade de dimensões envolvidas: desde a economia à saúde, da estrutura familiar às escolas, do cenário urbano à disponibilidade de transporte, das condições habitacionais ao acesso ao lazer, das oportunidades de emprego às relações comunitárias, do perfil psicológico predominante, em cada situação típica, ao potencial cultural presente nos movimentos musicais ou estéticos da juventude. Nada disso deve ser examinado de uma perspectiva genérica e abstrata, mas de modo bem concreto, segundo as manifestações específicas do território em questão – e de seus habitantes.

Intersetorialidade das políticas

O quadro que resultará do diagnóstico, em cada caso, exibirá vasta pluralidade de dimensões, ainda que as mais relevantes variem, em cada contexto. Assim como variam os contextos e as circunstâncias locais; e assim como variam as realidades dos mais de 5.500 municípios brasileiros. Se a pluralidade for uma constante, o objeto do diagnóstico será sempre complexo.

Se o problema da criminalidade violenta é, necessariamente, multidimensional, a abordagem fiel a esta complexidade nos conduzirá à elaboração de políticas adequadas a esta complexidade, isto é, sensíveis à pluridimensionalidade. Em outras palavras, a complexidade do problema exigirá políticas intersetoriais, capazes de dar conta das diversas dimensões que compõem a violência criminal. Políticas sintonizadas com a multidimensionalidade dos fenômenos são políticas multissetoriais ou intersetoriais.

Reforma da estrutura de governo: integração e autoridade política

Nova abordagem, novas políticas, de natureza intersetorial: falta um agente público apto a implementá-las. Impõe-se, então, criar um novo sujeito da gestão pública. Um ator político dotado de autoridade e competência para integrar as várias áreas da administração. Hoje, os governos municipais apresentam uma organização segmentada, dividida por secretarias e órgãos vinculados. Cada secretaria cuida de um setor do governo e cada setor do governo corresponde a uma área da vida social. A integração, quando existe – o que é raro –, depende, em geral, de um esforço suplementar, seja voluntarista e episódico ou permanente, mas assentado em bases precárias. Depende, por exemplo, da instauração de um fórum de políticas sociais.

O novo agente público, para constituir-se, exige uma reforma mais profunda e orgânica na estrutura do governo municipal. Uma solução possível – que não exclui outras, ainda mais radicais – é a criação de alguns poucos grupos executivos, responsáveis pela implementação do plano de governo, que devem prestar contas ao prefeito e à sociedade, regularmente. Com base na definição de metas e a partir da identificação de prioridades, estipulado um cronograma realista e garantidos os recursos necessários, o grupo executivo poderá submeter as políticas setoriais à política intersetorial, desde que se reporte diretamente ao gabinete do prefeito e seja dotado da autoridade correspondente à magnitude das tarefas.

A transparência, a participação popular, o diálogo intra e extragovernamental, todos esses ingredientes complementam o desenho elementar do funcionamento do novo sujeito da gestão pública.

Outras qualidades imprescindíveis são: agilidade, conexão com a ponta, capacidade de intervenção tópica, de planejamento, avaliação e monitoramento, acesso a dados quantitativos e qualitativos, sintonia com microrrealidades locais e compromisso com a gestão global do plano de governo.

Matriz de gerenciamento integrado

O governo municipal pode ser rico em projetos para a juventude pobre, mas pode faltar a determinação para que estes cumpram especificamente a função de controle ou de redução da violência e da criminalidade. Faltando essa determinação, estão ausentes seus pressupostos, assim como as condições práticas de operacionalização na área da segurança. Em outras palavras, faltam o foco, o público-alvo, as metas, a articulação integradora, o pólo gestor orientado para as metas específicas e a articulação orgânica correspondente.

De modo geral, os projetos das prefeituras estão estruturados segundo um modelo varejista (porém inconsistente, subordinado ao varejo dos impulsos), provendo bens e serviços apenas a quem for sensível à sua interpelação generalizada (o que trai essa natureza varejista a ponto de particularizá-la, quando não privatizá-la, no sentido mais amplo da expressão): "Eis aqui os produtos que oferecemos; venham; fruam esses benefícios", proclamam, tacitamente, as secretarias, em boa parte de suas iniciativas.

Claro que só respondem à convocação "universalista" os que já estão sintonizados com a dinâmica da participação, os que já foram conquistados pela linguagem universalista da cidadania ou os que, por acaso, estiverem disponíveis na oportunidade e no local em que se enunciar a interpelação.

Por isso, não é exageradamente pessimista supor que a maioria dos que mais precisam de tais produtos e serviços – os refratários à interpelação pública e cidadã, ou seja, os excluídos, particularmente os jovens pobres, em situação de especial vulnerabilidade – não será alcançada, atingida, sensibilizada ou beneficiada pela oferta, por mais generosa e qualificada que ela seja.

Além disso, os projetos e as intervenções das diferentes secretarias não são pensados e implantados de forma articulada, como em geral reconhecem seus próprios responsáveis, assim como seus agentes locais. Esse reconhecimento é que leva ao encaminhamento paradoxal da solução, já mencionado: criam-se fóruns ou grupos de trabalho para promover a integração entre as políticas sociais, com o que, em certo sentido e até certo ponto, amplia-se o problema, uma vez que se constitui mais uma unidade para a qual se coloca o mesmo desafio da integração com os demais organismos envolvidos no processo. Vale insistir: não é com a criação de mais mediações e de mais protagonistas por delegação que se vai resolver um problema que é de ausência de política, isto é, de metas comuns e métodos uniformes.

Somente uma política pode unificar aquilo que está atomizado porque, tendo inúmeras metas, não tem foco, isto é, não tem meta. Em outras palavras, cada intervenção isoladamente tem sua meta, seu método coerente e sua consistência, enquanto política pública. Mas o conjunto não é exatamente um conjunto, é uma coleção de empreendimentos fragmentários. Nesse plano agregado, aquele no qual uma questão complexa como a segurança pública, entendida pelo viés preventivo (portanto, multidimensional e interdisciplinar), teria de ser abordada e enfrentada, nesse plano é que, com freqüência, faltam uma política, a meta e o método.

Não basta costurar as pontas. Impõe-se uma intervenção do prefeito ou da prefeita para que a violência criminal se converta em foco de concentração de todo o governo e para que a política de segurança cidadã se torne uma política integradora de governo, mobilizando o apoio da sociedade, de tal modo que o processo envolva sua participação, convertendo-se em um verdadeiro movimento social pela paz, contra a barbárie e pela salvação de segmentos crescentemente significativos da juventude pobre, que, Brasil afora, estão sendo dizimados no genocídio autofágico dos circuitos criminosos.

A condição necessária e suficiente para a produção dessa política de segurança multissetorial, pluridimensional, articulada e articuladora, focalizada e consistente, é a instalação do que se poderia denominar matriz de gerenciamento integrado e que consiste em três elementos:

(1) Um acordo político entre as diversas secretarias diretamente relevantes, sob o patrocínio e a liderança do prefeito, visando à garantia de cotas, em cada serviço ou ação, para representantes do público-alvo (sempre com o cuidado de evitar reproduzir e ampliar, inadvertidamente, a estigmatização que se deseja evitar, o que requer a mistura na composição dos grupos).

(2) Um sistema unificado de informações que possibilite a criação de cadastro único de matrícula para as atividades promovidas ou os serviços prestados pelas secretarias envolvidas no pacto. A nova Secretaria de Segurança Municipal acompanharia a formação do universo beneficiado pela prefeitura, preferencialmente, por meio do geoprocessamento, superpondo as manchas do atendimento para avaliar sua dinâmica.

(3) Um software de gerenciamento e uma equipe de funcionários que compatibilizassem horários e locais dos serviços, o transporte, as grades horárias dos estudantes e as demandas prioritárias.

A abertura de vagas para cotas voltadas para o público-alvo não elimina o sistema universalista de oferta de serviços, que tem virtudes, as quais devemos preservar. Até porque a passividade do público-alvo prioritário é a contrapartida da atividade dos cidadãos, que deve ser estimulada. A implantação do mecanismo de organização aqui denominada matriz de gerenciamento integrado corresponde, portanto, à introdução do indutivismo na política pública municipal, ainda que, repita-se, esse método não deva ser generalizado, nem substituir completamente o universalismo – o que constituiria um equívoco simétrico e inverso àquele que identificamos como a mais comum situação atual, em que se privilegia o modelo varejista.

Resta definir o público-alvo ou os critérios e procedimentos de sua circunscrição. Há aí o risco de que, com a intenção de proteger os mais vulneráveis, os exponhamos à discriminação e ao estigma – não é demais retomar o tema, por sua importância estratégica. Por isso, é necessária muita prudência e é indispensável misturar os membros do público-alvo com o público usual dos projetos ou das políticas, dos serviços ou dos produtos oferecidos.

O ideal é atingir o público-alvo através de políticas universalistas ou semi-universalistas, isto é, aquelas dirigidas ao universo em que se inscreve o grupo de risco que consideramos o alvo prioritário. Em nossa proposta, a delimitação do público-alvo mais específico deveria resultar dos seguintes procedimentos: o exame das fichas escolares de alunos ausentes; a identificação dos jovens atingidos por medidas protetoras e socioeducativas; a avaliação dos boletins disciplinares que as escolas organizam; a discussão constante com os professores e os comitês escolares mais qualificados para a seleção.

Esse contingente de estudantes, ou parte dele, será também objeto de investimento e atenção por parte das secretarias de Ação Social e da Saúde e do Conselho Tutelar. Mas há um grupo que escapa ao sistema público estatal, que ultrapassa o horizonte de conhecimento e poder dos órgãos públicos e que, conseqüentemente, não pode ser observado ou atendido se radicarmos todos os nossos esforços na plataforma escolar.

Referimo-nos aos jovens que estão nas gangues ou, simplesmente, sem trabalho, sem ocupação, sem perspectivas. Para alcançá-los, pode-se recorrer, por exemplo, à Secretaria Municipal de Esportes. Esses jovens podem também ser alcançados através da mediação das famílias, se contarmos com a capacidade que só a Secretaria da Saúde tem para penetrar no mundo doméstico e visitar todas as famílias, sendo sempre bem-vinda.

A matriz de gerenciamento integrado pode garantir que os investimentos e o trabalho cheguem aonde nos pareça mais importante. Pode também permitir, graças ao banco de dados sobre os beneficiários dos serviços e produtos, que as políticas públicas comecem a ser avaliadas, em seu conjunto, e que o governo municipal disponha de indicadores de desempenho mais desagregados e, portanto, mais finos do que o Índice de Desenvolvimento Humano (IDH).

Por todos esses motivos, propomos a criação da matriz de gerenciamento integrado, na perspectiva de que o governo municipal eleja a violência e o crime como um dos focos nucleares de sua política global.

Graças à matriz de gerenciamento integrado e à articulação complementar sujeita às inflexões contingentes, estrategicamente orientadas, segundo diagnósticos sempre tópicos das dinâmicas criminais e da violência, praticamente todos os projetos da prefeitura poderão gerar resultados significativos para a segurança pública, cujo impacto será quase imediatamente sensível. Essa estrutura, se radicada no grupo executivo – pólo agregador referido anteriormente –, organismo capaz de liderar as medidas na área, seria também o instrumento ideal para aplicar as medidas aos jovens em conflito com a lei, segundo determinações judiciais, desde que sejam celebrados os convênios pertinentes.

Focalização territorial

Outro requisito da eficiência das políticas preventivas é a focalização territorial. É necessário circunscrever a área sobre a qual incidirá a política, ainda que se tenha em mente que as realidades locais se interpenetram, porque as dinâmicas sociais não respeitam fronteiras entre espaços urbanos.

Os habitantes de um bairro atravessam a cidade para trabalhar, estudar, fruir o lazer, beneficiar-se dos serviços públicos ou privados, encontrar membros de sua rede familiar ou social. Por outro lado, "profissionais" do crime migram para áreas nas quais possam aumentar seus ganhos, reduzindo os custos e riscos das operações ilícitas.

Isso significa que o sucesso de uma área da cidade, na contenção do crime, pode implicar, para áreas vizinhas, aumento da insegurança. Claro que essa conseqüência não justifica o imobilismo, mas deve ser levada em conta no planejamento global da política de segurança municipal.

A importância da circunscrição territorial para as políticas preventivas decorre de fatores intersubjetivos e objetivos. Quando a prefeitura, em comum acordo com a comunidade, define uma agenda local – o que requer focalização política –, mobilizando todos os seus órgãos e recursos, e envolvendo os meios de comunicação de massa no mutirão organizado, tem chances de:

(1) Infundir responsabilidade pelas iniciativas conjuntas.
(2) Difundir esperança no sucesso do empreendimento.
(3) Valorizar aquela área urbana e seus moradores.
(4) Redefini-los ante a opinião pública da cidade como protagonistas da mudança, sujeitos da transformação, construtores da paz, promotores da ordem urbana cooperativa e solidária, exemplos para a sociedade.

Quando a prefeitura consegue alcançar esses resultados, logra converter o estigma (residentes de área degradada, maculada pela violência) em índice positivo (habitantes da área que se tornou paradigma da civilidade urbana), fazendo com que as expectativas se invertam, estabilizando-se na direção positiva. Falando em expectativas, estamos no terreno intersubjetivo da segurança.

Do ponto de vista objetivo, a focalização territorial é indispensável para que o diagnóstico seja suficientemente qualificado, os projetos sejam desenhados com precisão, os investimentos multissetoriais confluam, alcancem a sinergia necessária e se articulem com a mobilização da própria comunidade, estabelecendo, na base, parcerias e redes operacionais.

Em outras palavras, a mesma dificuldade que existe na tradução dessas propostas para cada município se reproduz na escala intramunicipal: o prefeito ou a prefeita terão de adaptar seu plano municipal de segurança às peculiaridades de cada local. Esse esforço é perfeitamente factível, mas exige atenção às características que as dinâmicas assumem em cada bairro ou comunidade.

Consórcio e gestão participativa

É possível mudar a escala da intervenção que visa alterar as condições sociais geradoras da violência e por ela realimentadas, desde que as forças que desejam a mudança somem suas energias e seus recursos, num mutirão sem precedentes, não-voluntarista, competente, apoiado em diagnósticos e orientações técnicas apropriadas, garantindo ampla participação e transparência, para que se construa a indispensável confiança entre as partes envolvidas.

O raciocínio nos conduz à proposta: é possível e necessário celebrar um amplo pacto, sob a forma de um consórcio entre o governo municipal e todas as entidades não-governamentais e conselhos de direitos dispostos a cooperar.

O processo acompanharia os seguintes passos: constatadas a riqueza de iniciativas e de recursos aplicados na área social, no município em questão, por parte da sociedade local, e a conveniência de que o atual quadro de dispersão e fragmentação dê lugar à sinergia entre os esforços e à convergência de investimentos humanos e materiais, propor-se-ia a elaboração de um diagnóstico comum sobre os problemas mais graves, para que se identificassem as prioridades e se definisse uma agenda consensual: quais as principais vítimas? Quais os grupos sociais mais vulneráveis? Como e onde atuar para mudar sua realidade, oferecendo-lhes alternativas de integração e de valorização humana, cultural, econômica e social?

Identificadas as prioridades, definida a agenda e mapeados os alvos principais das iniciativas, torna-se necessário planejar as ações convergentes, visando objetivos comuns.

Para que mereça credibilidade, não perca a legitimidade e seja positivo, todo esse movimento tem de respeitar os trabalhos que já estão em curso, garantir-lhes a continuidade e evitar a mais leve tentação, seja de cooptação política de tipo clientelista, seja de imposição de uma camisa-de-força autoritária, que sufoque a liberdade e a autonomia que caracterizam as ações da sociedade e dos indivíduos.

Planejadas as ações, elas precisam ser acompanhadas com transparência, de forma ampla, para que avaliações regulares suscitem correções de rota, em uma dinâmica de monitoramento participativo. Assim, o consórcio potencializará as ações da sociedade e do poder público municipal, elevando a escala das intervenções voltadas para a transformação social.

Criar-se-ia um fundo público não-estatal, cuja administração seria exatamente pública, porém não-estatal, para que se captassem e investissem recursos com absoluta honestidade e com critérios não-político-partidários.

Além disso, seria também indispensável criar um Gabinete de Gestão Integrada da Segurança Pública Municipal, a partir de convênios com o sistema de justiça criminal (polícias federal e estaduais, Ministério Público, Defensoria Pública e Poder Judiciário), visando ao enfrentamento da criminalidade violenta, da desordem urbana e o provimento de condições para a resolução pacífica de conflitos sociais e interpessoais. Desse modo, a prefeitura se tornaria protagonista da segurança, articulando-se com as instituições da segurança e da justiça criminal e credenciando-se a potencializar suas políticas preventivas. O executivo municipal pode contribuir de muitas maneiras diferentes, no âmbito do GGI, com ações que variam da iluminação pública à organização de observatórios da violência.

Participariam também do GGI de Segurança Pública Municipal as entidades que prestam serviço de segurança urbana, patrimonial, de vigilância e de proteção às vítimas da violência, ou que se devotam à recuperação de pessoas em conflito com a lei, ou à prevenção da violência e da criminalidade.

Programas de prevenção

Indicam-se, em seguida, algumas linhas[29] para programas de prevenção:

(1) Melhoria das condições de segurança dos espaços públicos e das condições de vida, na cidade, em particular: revitalização urbana dos espaços públicos, com intervenções na iluminação pública e o uso de tecnologia voltado à inibição da criminalidade difusa.

(2) Requalificação de espaços públicos de convivência e lazer, qualificação do entorno das escolas e parques públicos, regularização fundiária, adoção de estratégias que previnam a formação de guetos em zonas urbanas e que evitem conflitos entre grupos vizinhos etc.).

(3) Ações de prevenção primária orientadas para a juventude e suas famílias (projetos de acesso a atividades culturais e esportivas, educação e qualificação profissional, geração de trabalho, emprego e renda, saúde).
(4) Adoção de instrumentos e ações voltados para o favorecimento das relações interpessoais pacíficas e o fortalecimento de grupos de convivência nas comunidades mais vulneráveis.
(5) Educação e promoção da cultura da paz e dos direitos fundamentais, em colaboração com o sistema educacional e de saúde.
(6) Mobilização social, associativismo e promoção de cultura da paz urbana (apoio à formação e fortalecimento de lideranças, organizações e redes comunitárias, campanhas de comunicação social, programas de educação para a cidadania, promoção de eventos públicos).
(7) Prevenção da exploração sexual infanto-juvenil e do consumo abusivo de drogas.
(8) Atividades voltadas para as vítimas diretas e indiretas de crime, como reparação psicológica.
(9) Enfrentamento de fatores e dinâmicas de risco (abuso de álcool e outras drogas, disponibilidade de armas de fogo e outros fatores identificados em cada local).
(10) Acesso à justiça e a mecanismos de reinserção social de egressos do sistema penitenciário e do sistema de medidas socioeducativas.

Para que esses programas setoriais se desenvolvam de forma integrada, será necessário que o processo de gestão transite entre os estágios descritos na unidade subseqüente.

Passos para guiar a gestão das políticas preventivas da violência criminal

(a) Primeiro passo:

Elaborar diagnóstico das dinâmicas criminais e dos fatores de risco (seja de vitimização, seja de recrutamento pelo crime), locais e gerais. Será necessário:

(1) Efetuar levantamento: das expectativas e demandas dos diferentes cidadãos, quanto à (in)segurança urbana; dos problemas mais sérios da cidade por regiões/bairros; dos esforços de diferentes organizações que podem ser coordenados para evitar duplicações e fazer o melhor uso dos recursos disponíveis.

Deve-se atentar para o fato de que, muitas vezes, as opiniões mais eloqüentes e motivadas da comunidade não são necessariamente aquelas dos mais afetados pela violência e pelo crime. É preciso identificar corretamente quem corre os maiores riscos. Muitas dúvidas surgem na busca das informações. Quais órgãos devem ser contemplados?

É imprescindível contemplar: as polícias e outros órgãos da justiça criminal da área, os quais, ao longo do tempo, coletaram e usaram estatísticas sobre crime e violência, além de terem familiaridade com os problemas locais; os bancos de dados e outras formas de reunião de informações coletadas por grupos comunitários ou ONGs que se dedicam a questões ligadas ao crime e à violência; os bancos de dados e outras formas de reunião de informações coletadas por pesquisadores de instituições acadêmicas e científicas da localidade.

(2) Organizar as informações: após ter acesso ao conjunto de informações, é necessário que a unidade gestora constitua um sistema integrado de informações e produza um mapa da criminalidade da cidade.

Assim, será possível realizar uma revisão das experiências anteriores, análise e estudos de alternativas que estejam sendo experimentadas pelo município para, em um segundo momento, realizar o planejamento, a tomada de decisões sobre alternativas e delimitação de prioridades, metas de impacto a curto, médio e longo prazos.

(3) Selecionar os problemas prioritários nas áreas em foco.
Identificar e abordar possíveis parceiros na região para ajudar a reduzir o crime e a violência; assegurar recursos para um bom gerenciamento de projetos.

(b) Segundo passo:

Elaborar planificação para tomada de decisões sobre alternativas e delimitação de prioridades, metas de impacto a curto, médio e longo prazos.

Sua implementação importa tarefas de coordenação e a garantia de cumprimento de metas e cronogramas.

É conveniente implantar projetos piloto e observá-los, criticamente, como experimentos-demonstração.

(c) Terceiro passo:

Monitorar e avaliar para produzir os seguintes resultados no que tange ao: gerenciamento integrado, orientado para diagnóstico, planejamento e avaliação sistêmica da segurança local; à utilização da mediação como principal estratégia na resolução pacífica dos conflitos urbanos e da violência interpessoal; à formação integral dos profissionais da ponta, através de educação transdisciplinar, ações conjuntas e sistema informatizado de comunicação; aos mecanismos supracorporativos de controle interno e externo; à participação efetiva da comunidade nas várias etapas do processo da gestão da segurança municipal e dos projetos de prevenção; à redução da criminalidade violenta e da violência difusa; e ao aumento da segurança subjetiva dos cidadãos.

Devem ser definidos indicadores capazes de avaliar o desempenho de cada item acima e dos projetos implementados, tanto em seu processo de gestão quanto nos impactos de suas ações.

O consenso possível

A desigualdade no acesso à justiça é uma das manifestações mais cruéis das desigualdades brasileiras – entendendo-se por acesso à justiça o longo espectro de experiências que começa na abordagem policial, passa pela precariedade das condições em que, geralmente, trabalham os defensores públicos (metade dos estados brasileiros nem sequer tem uma Defensoria Pública – São Paulo constituiu a sua apenas em 2006, graças à luta heróica de profissionais abnegados, que se dispuseram, em nome de seu compromisso com a democracia e a justiça, a trocar a Procuradoria do Estado pela nova carreira que emergia) e termina no viés de classe e de cor das sentenças e, portanto, da população encarcerada. Os direitos democráticos são amplamente garantidos, na letra da Constituição, mas a prática os distribui de acordo com idade, gênero, cor e classe social – e local de moradia, posto que a segregação é também espacial, ou melhor, que a segregação espacial tem sua especificidade.

A violência criminal brasileira, sobretudo letal, tem avançado em ambos os rastros: do Estado e da sociedade. Mas, em ambos os casos, a desigualdade no acesso às prerrogativas do Estado democrático de direito, a desigualdade no acesso à justiça, tem representado a modalidade mais corrosiva da credibilidade (e da legitimidade) das instituições políticas. Enquanto o Estado não coibir o crime perpetrado por seu próprio aparato – descumprindo, nas prisões, nas entidades socioeducativas e com as polícias, a LEP, o ECA, a Constituição e os direitos humanos –, não terá autoridade e capacidade de inibir a criminalidade violenta e reduzir os danos decorrentes das experiências mais brutais. Por outro lado, a criminalidade violenta letal dá-se nas duas pontas do espectro social: os bem-nascidos, que lavam dinheiro e manejam os dispositivos da corrupção, alimentam o varejo do crime perpetrado pelos pobres.

Sem reformas institucionais profundas, que viabilizem mudanças nas estruturas organizacionais, sem a implantação de uma cultura moderna e racional de gestão, e sem a indispensável valorização dos profissionais (policiais e agentes penitenciários), o Estado, no Brasil, dificilmente será capaz de converter seus próprios crimes e vícios em provisão virtuosa de serviços. Essas reformas, por sua vez, requerem um pacto político republicano pela vida, pelo respeito aos direitos humanos, pelo cumprimento da legalidade democrática, isto é, por uma segurança pública cidadã.

No Brasil, as armas de fogo constituem o principal problema e as drogas requerem uma política mais inteligente, descriminalizante.

Não podemos, entretanto, descurar da violência de gênero – doméstica ou não –, nem da violência racista ou homofóbica. A proteção da vida tem de ser prioridade absoluta, mas a democracia também exige respeito ao pacto da propriedade. Portanto, a criminalidade contra o patrimônio representa um desafio real para a cidadania e para políticas públicas penais e de segurança, orientadas por compromissos com a democracia pluralista e os direitos humanos.

Além de todas as considerações sobre as peculiaridades de cada problema, reconhecendo-se sempre a natureza multidimensional da violência – o que exigirá políticas também multidimensionais ou intersetoriais e, por conseqüência, um novo sujeito da gestão pública, capaz de operar a integração das políticas públicas –, concluímos com a proposição da seguinte tese: para municiarmo-nos de instrumentos políticos aptos a reverter ou, pelo menos, reduzir a violência no Brasil contemporâneo, é preciso compreender os dilemas estruturais e estruturantes de nossa formação social, com seus paradoxos, porque é nesse solo pantanoso e fértil que os problemas lançam suas raízes – e brotam as soluções. Entretanto, a sensibilidade para essas questões não nos deve paralisar e desestimular a implementação de políticas preventivas tópicas, sem as quais as reformas institucionais serão ociosas.

Atualmente, está afastada, ao menos provisoriamente, a hipótese de o governo federal liderar a reforma das polícias, nos níveis legal e substantivo; hoje, quando foram suspensas as propostas de normatização do Susp, que haviam sido ampla e pacientemente negociadas com os estados – envolvendo currículos mínimos comuns e plataformas informacionais comuns, além dos demais tópicos já mencionados –; hoje, quando se tornaram freqüentes os contingenciamentos de recursos do Fundo Nacional de Segurança (que atingiu 56% dos recursos previstos pelo orçamento para o Fundo, em 2005); qual poderia ser o caminho para retomar a trilha percorrida e abandonada?

Se o Executivo abdica de assumir responsabilidades nessa área, dificilmente o Legislativo encontrará o ambiente para uma negociação adequada de matérias tão sensíveis. O Judiciário, sabemos, por tradição, no Brasil, só age se provocado. Sobram, portanto, a sociedade civil e o Ministério Público, como fontes alternativas de iniciativas visando a alterações legais e adoção de projetos positivos, na direção adequada, mesmo que insuficientes e tópicos.

Apesar das dificuldades e dos avanços e recuos sucessivos, há um dado positivo, que deve ser sublinhado: o governo federal dispõe, desde o primeiro mandato do presidente Lula, de um plano de segurança consistente, que se fundamenta em amplo e rigoroso diagnóstico. Esse plano foi aperfeiçoado por uma vasta e competente equipe de profissionais, indicados e reunidos pela Senasp, em setembro de 2003, os quais trabalharam durante vários meses, com o patrocínio da Firjan e do PNUD, e produziram um documento que detalha e aprimora o plano nacional, respeitando-lhe os princípios e as orientações. Portanto, o Brasil vive hoje uma situação paradoxal: apesar de não adotá-la, conta com uma política de segurança ousada, séria, fundamentada e conseqüente, definida para si mesmo pelo governo federal. Só falta aplicá-la. Talvez jamais o país tenha chegado tão próximo de um avanço significativo. Bastaria que a sociedade tomasse consciência da importância e da qualidade do plano, sobretudo em sua versão aprimorada, e pressionasse o governo federal a colocá-lo em prática, forçando também os demais atores políticos a apoiar esse plano e o próprio governo federal, caso ele se disponha a implementá-lo. É claro que seria ingênuo supor que seja fácil produzir tal consciência e gerar tais pressões. Mas, de todo modo, não é exagero afirmar que o país nunca esteve tão próximo de um avanço, justamente quando a insegurança e a crise das polícias parecem chegar ao paroxismo.

O Plano Nacional de Segurança Pública do primeiro governo Lula propõe intervenções simultâneas em duas frentes: social e policial. As propostas sociais – sob responsabilidade da área governamental pertinente (com destaque para o novo protagonismo dos municípios), mas que deveriam aplicar-se de modo articulado com as ações implementadas na esfera das instituições da segurança pública, em sentido estrito – visam oferecer perspectivas de integração cultural e econômica aos jovens pobres, vulneráveis ao recrutamento pelo crime, protegendo social e economicamente suas famílias, segundo modelos sustentáveis. As medidas referentes à reforma das instituições policiais visam moralizá-las, modernizá-las e abri-las ao controle externo, para devolver-lhes eficiência e credibilidade.

É, mais do que nunca, tempo de estimular os atores políticos a unirem-se, independentemente de suas origens partidárias, em torno do Plano Nacional de Segurança Pública, celebrando um pacto republicano em defesa da vida.

Política de drogas: o lugar do dissenso

Ao longo do presente texto, sustentamos a necessidade imperiosa de um pacto político, em torno de um plano de segurança pública viável e consistente, capaz de promover algumas reformas indispensáveis. Nada menos conveniente, quando se deseja construir as bases para um consenso mínimo, do que o tema das drogas. O realismo político recomendaria esquecê-lo, pelo menos provisoriamente. Afinal, dificilmente haveria questão mais polêmica e que mais suscite dissenso do que a política de drogas. Todavia, tampouco seria possível avançar na segurança pública sem enfrentar esse debate e mudar nossa política, na área, tributária da "guerra às drogas" – proclamada pelos Estados Unidos, não por acaso logo depois que a Guerra Fria deixara de ocupar o lugar de eixo articulador da identidade nacional e da unidade política interna.

Por mais que reconheçamos a complexidade da matéria e os obstáculos internacionais, parece-nos, entretanto, absolutamente necessário enfrentar o desafio e discutir o problema. Isso, contudo, não significa que devamos sacrificar o consenso possível e paralisar os avanços que, hoje, sejam viáveis em outras frentes. Por isso, deixamos esse tema para o fim. Negociemos os termos de um plano nacional que dê corpo a um pacto pela vida e a segurança cidadã. Claro que, no contexto atual, não haveria condições para promover consenso em torno de medidas audaciosas e heterodoxas quanto a drogas. Portanto, deixemos as teses da descriminalização e da legalização das drogas, por ora, fora do plano nacional vocacionado para o consenso. Mas não renunciemos a introduzir o tema e o debate sempre que possível, preparando os próximos passos do processo de democratização em que nos engajamos. Assim, o debate que aqui lançamos não deve inibir a unidade política, mas suplementá-la, mostrando que o consenso não dará conta da pluralidade das questões a enfrentar e também revelando que, mesmo se vencermos o atual estágio da disputa política, a luta prosseguirá.

Parece-nos que chegou o momento de abrir um grande debate nacional sobre a política de drogas. Não se trata de organizar seminários acadêmicos. O debate nacional deve destinar-se a que se tomem decisões. Se possível, decisões que mudem nossa realidade.

Sejamos claros e diretos. Nós, autores, defendemos a descriminalização dos usuários e a legalização das substâncias psicoativas, hoje consideradas ilegais, o que acabaria com o tráfico. Começaríamos pela droga mais leve. Pode ser que o único consenso viável em um futuro próximo venha a ser a legalização da *cannabis sativa*, a maconha. Não se trata, é claro, de afirmarmo-nos, nesse debate, a favor ou contra essa ou aquela droga, mas a favor ou contra determinada forma de tratar o problema.

Talvez a população já esteja madura para compreender que quem defende mudanças na política de drogas não está defendendo as drogas, mas uma outra maneira de lidar com o problema, que talvez seja mais produtiva, sensata, racional e eficiente. Além dos traficantes e de seus cúmplices em diferentes instituições e esferas da sociedade, alguém está satisfeito com a situação atual, em que tantos morrem, em meio a tanta violência e tanta corrupção?

O fato é que nenhuma polícia conseguiu a proeza de acabar com o comércio ilegal das drogas. Até nos Estados Unidos, que investiram bilhões na guerra às drogas, o consumo tem aumentado. Chega a ser irônico: os Estados Unidos venceram a Guerra Fria, demonstrando ao mundo que era impossível controlar o mercado, quer dizer, sufocar uma demanda real da sociedade e impedir que a oferta se organize. Onde há demanda, há oferta, de um modo ou de outro. Os países do socialismo real tiveram de se render ao mercado. O máximo que se consegue é regulá-lo e submetê-lo a alguma disciplina, de acordo com o interesse social. Mais do que isso é ilusão. É irônico que sejam exatamente os Estados Unidos que estejam, agora, à frente dessa política repressiva cuja meta é controlar, ou melhor, eliminar o mercado de drogas. Esse controle não aconteceu até hoje, nem há sinais de que possa vir a acontecer no futuro, por mais que as polícias se aprimorem e se qualifiquem, tecnologicamente. A menos que estejamos dispostos a sacrificar a democracia. Mas não é o que queremos.

No mundo ocidental, onde há demanda por drogas ilegais, nenhuma polícia, por melhor que seja, tem sido capaz de impedir o acesso às drogas, de bloquear esse consumo e esse mercado. A falha não é das polícias brasileiras. Nenhuma polícia do mundo teve êxito, simplesmente porque a repressão ao consumo e à circulação de drogas é, na democracia, uma missão impossível. Droga não pode ser uma questão de polícia, de repressão, de criminalização e de encarceramento. Droga é uma questão de saúde pública, educação, cultura, autogestão da sociedade, amadurecimento e aprendizado com liberdade, como demonstra o tratamento que temos conferido a algumas drogas atualmente consideradas legais, como o álcool e o cigarro – a nicotina –, males muito mais graves, aliás, para os quais ninguém está propondo a criminalização.

Em uma palavra: o acesso às drogas ilegais existe em todo o mundo ocidental. A pergunta que deveríamos fazer é a seguinte: já que o acesso existe, apesar da proibição, em que contexto legal e institucional seria melhor viver com esse acesso? No contexto da proibição e da criminalização, em que o consumo e o comércio são tratados como casos de polícia e acabam gerando essa guerra que nos atinge a todos? Ou no contexto em que drogas ou substâncias psicoativas são tratadas como temas de saúde e educação? No primeiro caso, os recursos públicos são gastos na repressão e no encarceramento, e ainda assim a insegurança se aprofunda e o consumo de drogas aumenta. Na segunda hipótese, os recursos públicos poderiam ser investidos em saúde e educação, e no atendimento aos dependentes químicos – que já existem e continuarão a existir, mais ou menos na mesma quantidade, porque, voltamos a lembrar, a despeito da criminalização, o acesso já existe.

As experiências internacionais, mesmo limitadas, são suficientes para demonstrar que, no começo, há um crescimento do consumo, mas aos poucos a tendência é o retorno à média histórica e a estabilização. Quer dizer: depois de idas e vindas, vai usar droga quem sempre usou. Mesmo que houvesse um aumento significativo e duradouro, ele nunca seria comparável aos efeitos da política atual. Com a legalização, o tráfico acaba. Atualmente, no estado do Rio de Janeiro, por exemplo, morrem menos de cem pessoas, anualmente, por consumo excessivo de cocaína. Quantas morrem na guerra do tráfico? Dos oito mil crimes letais que acontecem todo ano no estado do Rio, supõe-se que cerca de 65% têm relação direta ou indireta com o tráfico. Nosso problema não são as drogas, mas o tráfico, que só existe por conta da criminalização.

Os jovens que já estão no varejo do tráfico, provavelmente, buscarão outros usos para suas armas e não deixarão o crime de um dia para outro. Mas aqueles que ainda não ingressaram no tráfico, embora sejam vulneráveis à sua influência e estejam na porta de entrada, vão perder a principal motivação. Lembremo-nos do seguinte: as condições socioeconômicas que favorecem o desenvolvimento do tráfico não produzem efeito por si mesmas. Elas são um potencial, mas esse potencial só se realiza se houver um empreendedor recrutando, atraindo, oferecendo facilidades, apontando caminhos, induzindo, empurrando, seduzindo quem está próximo e se expõe a essa convocação. Ou seja, a crise social é um terreno fértil, mas o fruto, que é o crime, só virá se houver semeadura e coleta. Quando os traficantes forem forçados a mudar de ofício, mesmo dentro do universo criminoso, todo esse cultivo será dificultado. Uma coisa é pôr uma arma na mão de uma criança de 11 anos – ou dar-lhe fogos – e mandá-la vigiar a entrada do morro, de cima de uma laje. Outra coisa muito diferente seria preparar uma criança dessa idade para descer ao asfalto e cometer um crime que envolve outros riscos, procedimentos e habilidades. Essa transição de uma prática para outra não é fácil nem automática, e cria muitos empecilhos para o recrutamento de jovens por parte do crime, obstando, portanto, o processo de reprodução dos contingentes criminosos.

Por outro lado, com a legalização, a tendência seria a extinção das atividades nocivas, também na esfera do atacado. Por que raramente se discute a sério a política de drogas no Brasil? Há razões políticas, certamente, mas, além disso, muitos se beneficiam, direta e indiretamente, do fato de que as drogas são ilegais. Isso as torna valiosíssimas, o que aumenta o lucro dos operadores do atacado.

Não chegaríamos a dizer que a política atual serve aos interesses dos criminosos, nesses termos simplistas, mas há, sim, alguns interesses fortes na manutenção da ilegalidade. No entanto, cremos que o principal obstáculo ao debate crítico sobre o assunto tem sido outro: as camadas médias e as elites já resolveram o problema, à sua maneira, privatizando a solução. Quando um jovem de classe média é pego pela polícia com drogas, em geral, o pai recebe um telefonema e, em uma hora, a liberdade do filho foi negociada por um preço conveniente. Por isso, quem analisa os relatórios das Varas da Infância e da Juventude, em todo o Brasil, encontra relativamente poucos registros de casos envolvendo jovens de classe média, brancos, moradores das áreas nobres das cidades. Será que, em nosso país, só jovens pobres vivem problemas com a lei por conta de relação com drogas? Os jovens de classe média não se envolvem com drogas? Claro que sim. Mas, como tendência geral, os pobres é que são identificados pelas polícias estaduais e punidos pela justiça – ainda que tenha havido um esforço da Polícia Federal no sentido de ampliar o espectro de sua ação e deslocar o foco das investigações do varejo nas favelas para o atacado no "asfalto", isto é, para grupos sociais afluentes, residentes nas áreas nobres das cidades. Essa recente mudança, ainda limitada, não foi suficiente para que, nas entidades socioeducativas, assim como nos cárceres, jovens de famílias abastadas convivam, em grande número, com os filhos da população de baixa renda, residente nas vilas, favelas e periferias das grandes cidades. O filtro seletivo da polícia e da justiça talvez seja a manifestação mais ostensiva e despudorada das desigualdades sociais.

Essa modalidade de corrupção de que tratamos é ativamente praticada pela classe média e pelas elites. Seria uma grande hipocrisia culpar, unilateralmente, a polícia, que, nesse caso, não faz mais do que aceitar o jogo que setores da sociedade lhe propõem.

Se a polícia e a justiça decidissem aplicar a lei de drogas com eqüidade, isto é, do mesmo modo para todos, em poucas semanas a lei vigente e a atual política de drogas entrariam em crise. A classe média não suportaria ver seus filhos nos cárceres e nas entidades punitivas, chamadas quase ironicamente de "socioeducativas". Os formadores de opinião escreveriam nos jornais contra o absurdo de uma lei que trata como criminoso quem se envolve com droga. Em pouco tempo, o Congresso Nacional estaria discutindo o assunto e revendo a política de drogas.

Portanto, os efeitos nocivos da política de drogas adotada no Brasil, que consideramos irracional e hipócrita, estão aí, afetando, preponderantemente, determinadas parcelas da sociedade. Parcelas majoritárias, mas, politicamente, sem organização e voz suficientes. Pelo menos até agora. Cabe aos críticos provocar a reflexão sobre a natureza socialmente discriminadora da política em curso e os efeitos perversos das boas intenções dos legisladores que a definiram, pensando estar atendendo à segurança pública, à saúde da população, à proteção da vida e ao interesse público. É tempo de tirar o tema do armário, mesmo ao preço do dissenso. Desde que, simultaneamente, saibamos avançar na política de segurança pública onde houver consenso, sem sectarismos, com o equilíbrio necessário para não obstruir a construção da ampla coalizão pelas reformas de que tratamos no presente ensaio. Até porque não será simples nem fácil construir uma política de drogas liberalizante inteligente e responsável, razoavelmente compatível com a geopolítica global, prudente e gradualista, para que a experiência se consolide e se torne sustentável.[30]

Post-scriptum

Depois de concluído este ensaio, o governo federal, através do Ministério da Justiça, apresentou ao país, em julho de 2007, partes de um novo plano nacional de segurança pública, apelidado PAC da Segurança, cujo título oficial é Pronasci (Programa Nacional de Segurança Pública com Cidadania).

Há boas notícias: a seriedade reconhecida do ministro Tarso Genro, seu compromisso com a eqüidade no acesso à justiça e com a segurança pública, de um ponto de vista sobretudo preventivo e sempre respeitoso dos direitos humanos, e a disposição de debater com a nação um plano de segurança, o que envolve assunção de responsabilidades por parte do governo federal. Por isso, independentemente das críticas que eventualmente se possam fazer ao novo plano, a idéia do pacto republicano em defesa da vida permanece válida e atual, e pode articular-se e materializar-se em torno do esforço que o governo federal está empreendendo, a despeito de todos os seus percalços. Até porque pactos não se celebram sem ampla discussão, para a qual é decisivo o momento da crítica e da negociação de prioridades e metodologias.

Sobre a versão disponível em julho de 2007 do Pronasci, as seguintes observações merecem destaque, ainda que devam ser lidas com cautela, uma vez que o conteúdo do plano ainda não foi apresentado na íntegra:

(1) São pontos muito positivos a valorização do papel do município na segurança pública; a identificação da proteção da vida como prioridade incontestável; o reconhecimento de que a União deve assumir responsabilidades centrais no campo da segurança e deve sempre buscar a articulação, a integração e a intersetorialidade; a crítica às visões dualistas que aceitam e reificam alternativas excludentes: ***ou*** direitos humanos ***ou*** eficiência policial; ***ou*** políticas preventivas sociais ***ou*** ações policiais. Todos os termos são importantes e perfeitamente compatíveis entre si. Mais que isso: são interdependentes e só se realizam plenamente se contemplados em conjunto.

(2) A julgar pelas partes publicizadas, o governo abandonou o formato do plano elaborado para o primeiro mandato do presidente Lula. O formato derivava da seguinte estrutura: (a.1) diagnóstico das principais dinâmicas criminais e (a.2) das instituições pertinentes ao campo da segurança pública; (b.1 e 2) identificação analítica de prioridades; estipulação da hierarquia das prioridades, nos âmbitos criminal e institucional; (c) estabelecimento das bases para planejamento, implementação, avaliação e monitoramento das iniciativas propostas, obedecendo, sempre, à perspectiva sistêmica. O Pronasci, aparentemente, optou por modelo não-sistêmico: listagem de ações.

Recordemo-nos de que, segundo nossa análise, o mal maior do Brasil, em sua deficiência no lidar com a segurança pública, tem sido a fragmentação do campo institucional (o que não é o inverso de unificação, mas de articulação sistêmica). Tal fragmentação se associa à ausência de políticas específicas e à inviabilidade da gestão racional. Se estivermos certos, planos compostos por inventários de ações não-sistêmicas (ainda que listadas em rubricas que classificam níveis distintos de intervenção) perdem de vista, exatamente, o essencial e condenam-se a reproduzir a natureza do problema que lhes caberia corrigir, resolver ou superar. Insista-se: esse juízo pode mostrar-se injusto se o Pronasci, ao ser apresentado na íntegra, reverter a impressão original.

(3) O novo plano (à exceção do piso salarial para policiais, da importância que pretende conceder ao papel do município e às ações preventivas, e de alguns outros poucos tópicos) não menciona várias das principais propostas encaminhadas no início do primeiro mandato do presidente Lula, expressas no plano apresentado à nação em 2002 e 2003 – posteriormente detalhado no documento Arquitetura Institucional do Susp, elaborado por dezenas de especialistas, reunidos por seis meses para essa tarefa por Senasp, Firjan e Pnud. Ficou de fora a proposta de desconstitucionalização (isto é, de manutenção na Constituição federal apenas da definição geral da polícia, enquanto instituição comprometida com a legalidade, a ci-

dadania, os direitos humanos, a proteção dos direitos e das liberdades, sob controle externo democrático e gerida com transparência – transferindo-se às constituições estaduais a definição das características organizacionais das polícias). Sabemos que essa proposta permitiria a revisão do atual modelo fragmentado e dualista, militar-civil, preventivo-ostensivo/repressivo-investigativo, em cujos termos a União e os municípios têm suas responsabilidades extremamente limitadas. Também ficou de fora a redefinição do lugar da Secretaria Nacional de Segurança Pública e da Secretaria Nacional Antidrogas, e do dualismo Polícia Federal/Polícia Rodoviária Federal. Nenhuma palavra foi dita sobre a revisão do inquérito policial ou sobre a posição funcional das perícias estaduais. Quando o Pronasci menciona a normatização do Susp, não esclarece o que isso significa – aparentemente, abandonou-se o projeto de regulamentação segundo os pólos: formação, informação, gestão, perícia, articulação com políticas preventivas e controle externo. Omite-se qualquer referência à proposta relativa ao controle externo, que era central no plano de 2002-3, e que afirmava o papel indispensável de ouvidorias independentes e com efetivo poder de investigação.

(4) Essas omissões podem vir a condenar ao ostracismo o Susp, a reforma legal e organizacional das polícias, e pode vir a implicar abandono do maior esforço já realizado, no país, para reunir profissionais da área, conferindo-lhes tempo e recursos para, durante seis meses, aprofundar e detalhar um conjunto de propostas sistêmicas para a segurança pública. Referimo-nos ao projeto, acima citado, Arquitetura Institucional do Susp, o qual produziu documento com o mesmo título, aprofundando e detalhando o plano com que Lula se elegeu, em 2002. As 1.100 páginas do mais completo documento já elaborado no Brasil – todo ele propositivo – correm o risco de adormecer nas gavetas ministeriais. Há o sério risco de reinventar-se a roda: novo mandato, novos nomes, novos planos. Em nome de uma praticidade que está por ser demonstrada, podem-se perder

elementos fundamentais, fruto de anos de trabalho coletivo, consultas e participação qualificada.

(5) A ênfase em penas alternativas à privação da liberdade, que caracterizava o plano anterior, cede lugar, na versão 2007, ao foco na construção de presídios (187 são prometidos).

(6) O reconhecimento da necessidade de combinar ações sociais (culturais e outras) com aperfeiçoamento das ações policiais, respeitando especificidades, é reafirmado no Pronasci – mantendo uma perspectiva que vinha do plano nacional concebido em junho de 2000 pelo governo Fernando Henrique, e que fora mantido – ainda que transformado – pelo plano nacional do primeiro mandato do presidente Lula. Ocorre, entretanto, que a natureza da combinação proposta é análoga àquela prevista pelo governo FHC no âmbito do Piaps (Plano de Integração e Acompanhamento dos Programas Sociais de Prevenção da Violência), diferindo da perspectiva adotada pelo primeiro plano Lula. Em outras palavras, para o Pronasci (a considerar-se o publicizado até julho de 2007), basta constatar que projetos sociais do governo federal estão em curso nas áreas críticas, para tomá-los, imediatamente, como políticas preventivas e extrair daí as conseqüências pertinentes. Para o plano Lula-1, que gira em torno das reformas sistêmicas, instauradoras do Susp, políticas preventivas da violência não são quaisquer políticas sociais, por mais interessantes que sejam e por mais que possam, a longo prazo, contribuir, de algum modo, para a criação de condições menos propícias ao desenvolvimento de dinâmicas violentas ou de formas violentas de sociabilidade. Políticas preventivas exigem diagnósticos específicos, foco preciso na interceptação das dinâmicas reprodutoras da violência identificada como alvo prioritário, e se aplicam em circunscrições territoriais delimitadas, sob formas de gestão peculiares e participativas. Portanto, há o risco de que, a considerar-se a versão divulgada até julho de 2007, o Pronasci venha a aderir a uma visão que já havia sido ultrapassada pelo plano Lula-1.

De todo modo, esperemos que os aspectos positivos do Pronasci sejam suficientes para oferecer ao país mais uma chance de que se construam as bases para um consenso mínimo e para a celebração de um pacto político pela vida e a segurança pública, entendida como realização dos direitos humanos e das determinações constitucionais.

Notas

1. Soares, Luiz Eduardo. *Segurança tem saída*. Rio de Janeiro, Sextante, 2006.

2. As unidades relativas a diagnósticos e propostas reapresentam alguns argumentos e reflexões expostos por Luiz Eduardo Soares em suas últimas obras: *Meu Casaco de General; 500 dias no front da segurança pública do Estado do Rio de Janeiro*; *Cabeça de Porco* – em co-autoria com MV Bill e Celso Athayde; *Elite da Tropa* – com André Batista e Rodrigo Pimentel; *Legalidade libertária*; *Segurança tem saída*. Outra fonte que serviu de base para o presente trabalho foi o ensaio "La tragedia brasilera: la violencia estatal y social y las políticas de seguridad necesarias", de Luiz Eduardo Soares e Miriam Guindani, publicado na revista *Nueva Sociedad*, de abril de 2007.

3. Para o diagnóstico das polícias e a análise da bibliografia contamos com a inestimável colaboração do Ten.-cel. PMRJ Antonio Carlos Carballo Blanco.

4. Os campos e os atores institucionais a serem examinados deveriam incluir outras áreas, aqui não contempladas, como as políticas sociais e culturais preventivas, e a estrutura do Estado, que limita e condiciona a efetividade das ações, além do sistema socioeducativo, o inquérito policial, o código penal, em particular a criminalização das drogas etc. A falta de espaço explica as lacunas. Para o debate desses temas aqui não focalizados, remetemos os leitores aos livros de Luiz Eduardo Soares: *Legalidade libertária* e *Segurança tem saída*.

5. Os autores agradecem a Doriam Borges o levantamento e a checagem dos dados criminais mais recentes.

6. Várias são as matrizes da criminalidade e suas manifestações variam conforme as regiões do país e dos estados. O Brasil é tão diverso, que nenhuma generalização se sustenta. A sociedade brasileira, por sua complexidade, não admite simplificações. Note-se que estamos falando de uma sociedade marcada por um capitalismo autoritário e historicamente brutal, gerador e reprodutor de desigualdades. Por mais que evitemos o reducionismo economicista, é evidente que não poderíamos negligenciar o lugar estruturante dessa dimensão. É nesse quadro mais amplo que ganha sentido a configuração diferenciada das dinâmicas criminais. Passemos a examiná-las, em seus traços mais simples: em São Paulo, a maioria dos homicídios dolosos encerra conflitos interpessoais, cujo desfecho seria menos grave não hou-

vesse tamanha disponibilidade de armas de fogo. No Espírito Santo e no Nordeste, o assassinato a soldo ainda prevalece, alimentando a indústria da morte, cujo negócio envolve pistoleiros profissionais que agem individualmente ou se reúnem em "grupos de extermínio", dos quais, com freqüência, participam policiais. Na medida em que prospera o "crime organizado", os mercadores da morte tendem a ser cooptados pelas redes clandestinas que penetram nas instituições públicas, vinculando-se a interesses políticos e econômicos específicos, aos quais nunca é alheia a lavagem de dinheiro, principal mediação das dinâmicas que viabilizam e reproduzem a corrupção e as mais diversas práticas ilícitas verdadeiramente lucrativas. Há investimentos criminosos em roubos e furtos de carros e cargas, ambas as modalidades exigindo articulações estreitas com estruturas de receptação, seja para revenda, desmonte ou recuperação financiada. Roubos a bancos, residências, ônibus e transeuntes, assim como os seqüestros, particularmente os "seqüestros relâmpagos", têm se tornado comuns e perigosos em todo o país porque, em função, também nesse caso, da disponibilidade de armas, essas práticas, que, por definição, visariam exclusivamente ao patrimônio, têm se convertido com assustadora freqüência em crimes contra a vida – a expansão dos "roubos seguidos de morte" ou latrocínios constitui o triste retrato dessa tendência. A violência doméstica, especificamente a violência de gênero, que vitimiza as mulheres, bem como as mais diversas formas de agressão contra crianças, revela-se, em todo o país, tão mais intensas e constantes quão mais se desenvolve o conhecimento a seu respeito. O dado mais surpreendente diz respeito à autoria: em mais de 60% dos casos observados, nas pesquisas e nos diversos levantamentos realizados no país, quem perpetra a violência é conhecido da vítima – parente, marido, ex-marido, amante, pai, padrasto etc. Isso significa que essa matriz da violência, apesar de merecer máxima atenção e de constituir-se em uma problemática da maior gravidade, para os que a sofrem ou testemunham, seja por suas conseqüências presentes, seja por seus efeitos futuros (as pesquisas mostram que quem se submeteu à violência, na infância, ou a testemunhou, tem mais propensão a envolver-se com práticas violentas, mais tarde), não é acionada por criminosos profissionais ou por perpetradores que constroem uma carreira criminal. Efetivamente, o tráfico de armas e drogas é a dinâmica criminal que mais cresce nas regiões metropolitanas brasileiras, mais organicamente se articula à rede do crime organizado, mais influi sobre o conjunto da criminalidade e mais se expande pelo país.

A relação entre armas e drogas é conhecida: as drogas financiam as armas e estas intensificam a violência associada às práticas criminosas, expandindo seu número e suas modalidades. Este casamento perverso foi celebrado em meados dos anos 1980, sobretudo no Rio de Janeiro e em São Paulo, ainda que antes já houvesse vínculos entre ambas.

7. Esse é o centro da pioneira tese de doutorado em antropologia social que o professor Roberto Kant de Lima defendeu na Universidade Harvard, nos anos 1970, e que se tornou uma referência na área. A tese gerou o livro: *A Polícia da Cidade do Rio de Janeiro: seus dilemas e paradoxos*. Em *Legalidade libertária*, o argumento é reelaborado e recontextualizado.

8. Esta unidade é uma versão abreviada e alterada do relatório sobre as polícias brasileiras, enviada ao Banco Mundial em maio de 2005. A presente versão resulta da reelaboração da primeira versão (que envolveu cortes, acréscimos, mudanças e reorganização de itens), a partir de sugestões e críticas a ela dirigidas por Andrew Morrinson – que merece sinceros agradecimentos por essa fundamental contribuição. Luiz Eduardo manifesta também sua gratidão a todos os colegas que com ele colaboraram desde os anos 1980, no Iser, até os anos mais recentes, na Secretaria de Segurança Pública do estado do Rio de Janeiro, na Coordenadoria de Segurança, Justiça, Defesa Civil e Cidadania, do estado do Rio de Janeiro, na Prefeitura de Porto Alegre, na Secretaria Nacional de Segurança Pública, no Instituto Pro-Susp e na Secretaria de Valorização da Vida e Prevenção da Violência, do município de Nova Iguaçu (RJ). Foi com eles e no convívio de quase duas décadas com tantos parceiros policiais e não-policiais – inquietos e reflexivos – que se desenvolveram as idéias aqui expostas.

9. Consta como compromisso do Plano Nacional de Segurança Pública com o qual o presidente Lula foi eleito para o primeiro mandato.

10. Novamente, trata-se de compromissos assumidos e – pelo menos até o presente momento – não cumpridos. A primeira grande alteração deveria dar-se por meio de um projeto de emenda constitucional, submetida à apreciação do Congresso Nacional pelo presidente da República, preferencialmente com o apoio consensual dos governadores – apoio que havia sido obtido pelo primeiro secretário nacional de segurança pública do governo Lula, ao longo de seus dez meses de gestão. Uma PEC propondo a "desconstitucionalização das polícias", o que significa a transferência aos estados do poder para decidirem, em suas constituições estaduais, qual modelo de polícia desejariam ter – entre as opções, inclui-se, evidentemente, a preservação do modelo atual.

11. Também postulado – como a própria desconstitucionalização – no Plano Nacional de Segurança Pública do primeiro governo Lula.

12. O Plano Nacional de Segurança Pública do primeiro governo Lula propõe a autonomização das instituições ligadas à perícia (institutos de criminalística, médico-legais e de identificação civil), relativamente às polícias civis – onde tal dependência se mantém – e sua vinculação à Secretaria de Segurança Pública do Estado.

13. As principais vocações das guardas são o policiamento comunitário, a mediação de conflitos e a resolução de problemas, conforme indica o capítulo sobre os municípios do Plano Nacional de Segurança do primeiro governo Lula.

14. No Brasil, 350 mil adultos estão encarcerados (levantamentos extra-oficiais já falam em 400 mil, em 2007). Isso corresponde a 212 presos por 100 mil. Em 1995, havia 150 mil presos no país, o que representava 95 por 100 mil habitantes. Esses números nos dizem que o Brasil tem encarcerado muito e de forma acelerada; e que São Paulo tem sido muito mais voraz na aplicação do encarceramento do que os demais estados.

15. O sistema de justiça criminal congrega, além do Tribunal de Justiça, as polícias, o Ministério Público, a Defensoria Pública e as instituições responsáveis por: (a) aplicação de medidas socioeducativas, orientadas pelo ECA (Estatuto da Criança e

do Adolescente – 1990): internação, regimes semi-aberto e meio-aberto, liberdade assistida e prestação de serviços à comunidade; (b) execução penal, orientada pela LEP (Lei de Execuções Penais – 1984), contemplando as seguintes penas: privativa de liberdade em regime fechado, semi-aberto, albergue; o livramento condicional e outras medidas alternativas de punição como Limitação de Final de Semana (LFS) e Prestação de Serviços à Comunidade (PSC).

16. Conforme NOVAES, Regina e VANNUCHI, Paulo. *Juventude e sociedade*. Instituto da Cidadania, São Paulo, Fundação Perseu Abramo, 2004. Atualmente, são consideradas jovens, pela maioria dos organismos internacionais, aquelas pessoas situadas na faixa etária entre 14 e 24 anos. Na pesquisa sobre o sistema carcerário brasileiro, coordenada por Julita Lemgruber, 18,3% da população carcerária tinha entre 18 e 25 anos, e 41,5% tinha menos de 30 anos de idade.

17. Sobre processos de criminalização (primária, secundária e terciária), ver autores do campo da criminologia crítica, como: BARATTA, Alessandro. *Criminologia e crítica do direito penal: Introdução à sociologia do direito penal*. Rio de Janeiro, ICC/Revan, 1997; LARRAURI, Elena. *La herencia de la criminologia critica*. México, Siglo XXI, 1992; SANTOS, Juarez Cirino dos. *O adolescente infrator e os direitos humanos*. Instituto de Criminologia e Política Criminal, 2005 (http://www.cirino.com.br/artigos/jcs/adolescente_infrator.pdf).

18. LEMGRUBER, J. *Relatório do grupo de trabalho do sistema penitenciário. Projeto: arquitetura institucional do Susp – Senasp/Ministério da Justiça e PNUD*, 2004.

19. Se o país tem encarcerado mais e não cumpre a LEP, está semeando tempestades. Portanto, a insurreição de São Paulo em 2005, que paralisou a maior capital do país e várias outras cidades do estado, está presente, embrionariamente ou enquanto potencialidade, em todo o país. Não se pode prender aos milhares e despejar essa multidão no inferno, dotando a massa de ferramentas de organização e ação criminosa. O caso de São Paulo (as explosões de violência de 2006 dirigidas pela facção criminosa conhecida por PCC) se destaca e, em certo sentido, antecipa cenários possíveis em outras regiões, por uma razão de escala e intensidade das pressões exercidas pelas variáveis em ação.

20. É importante salientar que, a partir da década de 1990, verificam-se mudanças de orientação nos organismos governamentais, no sentido de não mais tomarem para si o monopólio do combate à criminalidade. Desde então, com a adoção da noção de criminalidade urbana como "risco coletivo e cotidiano", o Estado atesta sua incapacidade e limitação para a prevenção da violência. Sobre isso, ver: GARLAND, David. "As contradições da sociedade punitiva: O caso britânico", in *Revista de Sociologia e Política*, Curitiba, UFPR/Gees, 1999, p.39-50.

21. OLIVEIRA, Carmem. *Sobrevivendo no inferno: A violência juvenil na contemporaneidade*. Porto Alegre, Sulina, 2001.

22. Os sistemas de política criminal (segundo: DELMAS-MARTY, Mirelle. *Les grands systèmes de politique criminelle*. Paris, PUF, 1992, p.50-6) envolvem as políticas penais e extrapenais de prevenção da criminalidade, as políticas da segurança pública, do sistema penitenciário e do sistema socioeducativo.

23. A defesa dos direitos humanos, dentre eles a liberdade humana (integridade física dos cidadãos), os direitos políticos e as liberdades civis, é um dos indicadores mais utilizados para medir o nível de uma democracia. Esses direitos relacionam-se, principalmente, à administração do acesso à justiça – entendido enquanto igualdade perante a lei, acesso a um poder judicial imparcial e independente, proteção contra detenções arbitrárias e tortura, ou seja, enquanto acesso a mecanismos de controle contra a corrupção etc. Quanto ao acesso à justiça para a juventude, prevalece a desinformação sobre leis e procedimentos, bem como sobre meios para buscar os direitos. A imparcialidade e a eqüidade do juiz são atingidas por pressões, ameaças e corrupção; suspensão de garantias; expressões vagas nas legislações (vide ECA) que favorecem a arbitrariedade; indefinição do momento exato do início do processo; deficiências dos sistemas de defesa. Sobre isso, ver: Azevedo, Rodrigo. *As reformas penais no Brasil e na Argentina nos anos 1990: Uma abordagem sociojurídica*, 2002 (http://www.ces.uc.pt/publicacoes/oficina/196/196.pdf). Ver também: Saraiva, João Batista. *Direito penal juvenil: O adolescente e o ato infracional, garantias processuais e medidas socioeducativas*. Porto Alegre, Livraria do Advogado, 2002. Costa, Ana Paula. *As garantias processuais e o direito penal juvenil*. Porto Alegre, Livraria do Advogado, 2005.

24. Vide análise sobre resistências à implantação do Sistema Único de Segurança Pública (Susp). Sobre isso, ver: Soares, Luiz Eduardo. *Legalidade libertária*. Rio de Janeiro, Lumen-Juris, 2006.

25. Algumas destas sugestões constam do Plano Nacional de Segurança Pública, elaborado para o primeiro governo Lula.

26. Este item é uma versão reduzida do capítulo 8, elaborado com a colaboração de Miriam Guindani e Antonio Carballo Blanco, do livro *Legalidade libertária*, de Luiz Eduardo Soares.

27. Sobre isso, ver: Soares, Luiz Eduardo. *Legalidade libertária*. Rio de Janeiro, Lumen-Juris, 2006; Sento-Sé, João Trajano (org.). *Prevenção da violência: O papel das cidades*. São Paulo, Civilização Brasileira, 2005.

28. Observe-se que as categorias "causa" e "crime" devem ser relativizadas, seja porque o universo em pauta é multidimensional, não admitindo relações deterministas, seja porque não existe o crime-em-si, como se fosse um fenômeno identificável em si mesmo, mas relações entre normas e atos, e suas interpretações e aplicações – que se realizam sempre segundo filtros e *biases* socioculturais. Empregamos essas categorias, aqui, sem insistir em sua relativização, como seria teórica e metodologicamente recomendável, para facilitar a comunicação e simplificar a descrição de situações e contextos complexos. Vale, entretanto, o alerta ao leitor.

29. Algumas dessas propostas estão apresentadas no Plano Nacional de Segurança Pública para o primeiro governo Lula e no relatório final do Projeto Arquitetura do Sistema Único de Segurança Pública (Susp).

30. Essa unidade retoma reflexões expostas em: Soares, Luiz Eduardo. *Segurança tem saída*. Rio de Janeiro, Sextante, 2006.

O Brasil tem jeito?

VILLAS-BÔAS CORRÊA

Jeitos e jeitinhos

Jeito sempre tem. Nos quase 60 anos de ininterrupta atividade como repórter, minha profissão foi tentar entendê-los, decifrá-los e com freqüência conter a indignação nos limites estreitos da imparcialidade, que não se confunde com a frieza da indiferença.

Na verdade, creio que entre os jeitos e jeitinhos tradicionais e a contribuição da nossa criatividade já experimentamos todas as receitas do formulário clássico. Com as alternâncias e os solavancos de um carro com molas frouxas em uma estrada esburacada.

Mas, sem apelar para a ênfase do exagero, receio que esta, a do segundo mandato do presidente Luiz Inácio Lula da Silva, apresenta-se no palco para a platéia indiferente, como que se nada tivesse com o enredo, com os grupos que apupam, aplaudem ou torcem as mãos na angústia do medo do futuro.

Pela primeira vez desarrumamos toda a casa, não ficou um cômodo com os móveis nos seus lugares, nos três pavimentos dos poderes republicanos. Mais grave e dramática é a crise do Legislativo, que a teoria qualifica como o mais democrático da trinca; em meio ao furacão da desordem no Executivo, inchado como monstrengo obeso no maior ministério de todos os tempos, com 37 ministros e secretários que se apertam na Esplanada, em gabinetes separados por tabiques.

Desconfio que ninguém, além do encarregado de atualizar a cada mês a folha de pagamentos, sabe de cor o nome e os cargos dos 37 contemplados com o rateio para saldar as faturas dos acordos e acertos para a montagem da base parlamentar de apoio do presidente reeleito, – que não quer passar pelos apertos e vexames da temporada de escândalos que invadiu gabinetes do Palácio do Planalto, manchou a bandeira vermelha do Partido dos Trabalhadores (PT) e empurrou a agremiação para o canto da desconfiança do líder sindical que formou a legenda na onda popular das greves do ABC paulista.

Lula certamente conhece todos os ministros e secretários. Alguns de vista, no rápido encontro protocolar do convite, na posse e, a distância, nas raras e espaçadas reuniões ministeriais com jeito de comício, em que só o presidente deita e rola na sua facilidade de comunicador, bom de improviso e ruim de gramática.

E, fechando a rosca, pela primeira vez as denúncias atiradas no brejo salpicaram a toga, com o envolvimento de ministros dos tribunais superiores em gravações de conchavos de penitenciária para a venda de sentença. Só o Supremo Tribunal Federal (STF) paira acima de suspeições, sustentando a coluna da dignidade da justiça.

Antes de entrar na presunçosa tentativa de contar o que vi, bulir na memória para ressuscitar meus fantasmas e ousar identificar uma linha para a costura dos pontos frouxos de ligação entre cada fase distinta, um depoimento pessoal com as suas lições. Órfão de mãe aos oito anos, filho de magistrado mineiro que se aposentou como desembargador, morei na casa dos meus avós maternos até depois de formado.

Fazendo as contas, nos dez anos de currículo escolar no extinto Instituto La-Fayette, da rua Haddock Lobo, na Tijuca – três no primário, cinco no secundário e dois no complementar –, ou na casa do avô que gostava de contar episódios do tempo de jornalista provinciano e diretor de jornal em Angra dos Reis, ou de um tio juiz no estado do Rio de Janeiro, por mais que cutuque a memória, não resgato o eco de uma conversa, uma discussão sobre a ditadura do Estado Novo de Getúlio Vargas.

E todos liam os jornais, os matutinos do café e dos que ficavam em casa; os vespertinos para a delícia da leitura nos bondes arejados, na volta para o lar. Aqui e acolá, reminiscência de lutas políticas provincianas. Poucas, na sincronia com os suspiros da saudade.

Se meu diploma de bacharel nunca fez mal a ninguém e faz no fundo do baú o sono do papel desbotado, contemplo todos os dias, quando batuco no computador, o retrato de formatura na minha turma de 1947, na Faculdade Nacional de Direito (FND) da Universidade do Brasil.

Sou grato à FND e à turma, reduzida a poucos sobreviventes, por todas as razões repassadas pela saudade e também porque foi no venerando prédio do antigo Senado, na rua Moncorvo Filho, no espaço do atual Largo do Caco que fiz, em cinco anos, o aprendizado político, complementado na atividade profissional desde 1948.

Aluno razoável, de nível médio com destaque em matérias de mais interesse, mergulhei de cabeça na política universitária, fui secretário e presidente do Centro Acadêmico Cândido de Oliveira, o Caco, de tradição libertária que honra a coerência de uma trajetória de lutas.

E aprendi a odiar com a repugnância que baixa ao nojo a ditadura e seus cacoetes, como a censura, a violência, a estupidez e a corrupção, que não é seu privilégio. Muito ao contrário.

Ainda universitário, como presidente do Caco, saudei o fim do Estado Novo, com a deposição de Getúlio Vargas em 29 de outubro de 1945, o fim do curto período de oito anos, iniciado em 10 de novembro de 1937.

Em mais dois anos, com encargos de família – mulher e dois filhos –, em março de 1948 pisei pela primeira vez numa redação. E comecei a trabalhar no dia seguinte, para nunca mais parar.

A carteira profissional veio em 27 de novembro de 1948.

A ditadura sem-vergonha

Toda a descarada autopromoção biográfica travestida de introdução tem a sua desculpa: enfoquei meu exemplo de jovem da classe média tijucana que chegou à juventude embrutecido pela cegueira alienante da ditadura civil e pessoal do Estado Novo de Getúlio Vargas.

Uma ditadura – reconheça-se – assumida, pela face gorda e risonha do "pai dos pobres", sem dissimulação. Às claras e na durindana: censura oficializada à imprensa sob a fiscalização opressiva e generosa na compra de adesões do Departamento de Imprensa e Propaganda – o DIP –, que por malícia intencional ou pelas manhas do acaso instalou-se no belo edifício do Palácio Tiradentes, sede tradicional do Poder Legislativo desde os tempos do Reinado, quando convivia com a cadeia velha nos esconsos do porão.

A imprensa amordaçada e corrompida, com vigilância redobrada sobre as raras e surdas resistências que se infiltravam nos recados e picadas das entrelinhas, entupia a primeira página com o noticiário internacional das agências, que chegava às redações em longos telegramas. Os vespertinos de feitio popular, como *A Notícia* de Candido de Campos e Silva Ramos da minha iniciação, abriam fotos e manchetes com o noticiário policial. As equipes de repórteres de polícia tinham o seu peso nas redações. Alguns se destacam da rotina graças às fontes próprias de informações nas delegacias e do faro para as diligências por conta própria. Grandes furos na identificação de autores de crimes bárbaros, de monstros que assombravam a insônia dos leitores, resultaram de investigação de repórteres.

O rádio engatinhava os primeiros passos e ousava os programas experimentais de auditório com cantores e cantoras de música popular. Noticiário na base de recortes de jornais, graças à serventia da tesoura e da goma. Até o *Repórter Esso*, foi uma longa caminhada.

Mas com a imprensa sob censura, a Polícia Especial de prontidão para qualquer turbulência ou simples arruaça, sob a chefia de Filinto Müller, misturava na mesma roda de pancadaria e tortura os presos políticos e os comunistas que davam com os costados nas celas da rua da Relação.

Na verdade, os focos de conspiração dos oposicionistas liberais e conservadores não chegavam a preocupar o governo. A polícia se empenhava em mostrar serviço.

E a vida corria mansa, na torva paz dos lodaçais. Mas a ditadura desavergonhada preservou a estrutura política do país, conservada no refrigerador a temperaturas abaixo de zero. Os banidos sumiram do noticiário e tentavam sobreviver no exterior. Partidos dissolvidos, Congresso, assembléias estaduais, câmaras de vereadores de porteiras fechadas.

Quando a ditadura desabou como jaca madura, com a deposição de Getúlio Vargas pelo golpe militar e político de 29 de outubro de 1945, os exilados já estavam regressando com o prestígio imantado pela resistência ao arbítrio e tiveram recepções triunfais, juntando multidões nas praças do Rio e das capitais. O grande orador baiano Otávio Mangabeira falou para milhares de pessoas no comício improvisado em frente ao Theatro Municipal do Rio, para ficar no exemplo que acode à memória.

Vargas escorregou na casca de banana na tentativa da jogada suicida da Constituinte com o "pai dos pobres", com o apoio e a presença em palanque do líder comunista Luiz Carlos Prestes, o "Cavaleiro da Esperança" da heróica marcha da Coluna com o seu nome pelas brenhas do interior. O odor golpista da manobra entrava pelo nariz. Os candidatos eram ambos militares conservadores – o brigadeiro Eduardo Gomes, pela UDN e aliados, e o marechal Eurico Gaspar Dutra, ex-ministro da Guerra e condestável do Estado Novo, pelo PSD governista e os aliados, aos quais se juntariam na reta final da campanha o PTB getulista, com o recado de Getúlio do seu exílio em São Borja, na frase que virou slogan, ele disse: votem em Dutra.

A mágica da instantânea remontagem do quadro político tem a sua explicação óbvia e translúcida na preservação das lideranças nacionais e estaduais postas sob vigilância e na tolerância esperta da ditadura com as rivalidades municipais separando famílias em confrontos que desafiaram os séculos. Em cada município, na projeção do seu tamanho, da sua importância, os chefes locais conservaram o seu comando, passando-o de pai para filho.

A linha divisória nacional separava governo e oposição, afinal livre para a militância política oficializada.

Se o campo estava demarcado, os dois grandes partidos nacionais ocuparam o seu espaço. Sem esforço, como quem tira do saco as pedras brancas e pretas para arrumar no tabuleiro para o jogo de damas: o PSD de um lado, a UDN do outro.

Claro, cada qual com os aliados que buscam lugar na coerência das suas alianças nos confrontos municipais. No primeiro confronto de urnas emprenhadas pela trapaça das fraudes da herança da República Velha, a UDN contou com a ajuda do Partido Republicano do ex-presidente Arthur Bernardes; do Partido Libertador do santo do parlamentarismo, o gaúcho Raul Pilla; e de uma penca de legendas nanicas.

Fora da bipolarização, o Partido Comunista Brasileiro de Prestes partiu para a afirmação da candidatura própria, com o caiporismo de esbarrar no desvio com o ex-prefeito de Petrópolis, o engenheiro Iedo Fiúza, alvo de implacável campanha do jornalista Carlos Lacerda no *Diário Carioca*. Acusado de receber propinas na prefeitura, marcado a fogo pela alcunha de Rato Fiúza, o candidato comunista foi carregado nas costas do Partidão em grandes comícios que não renderam os votos esperados.

Mas palco, cenário, palanques, microfones e o elenco estavam prontos para o grande espetáculo da democracia restaurada, na fase de ouro da eloqüência.

O jogo do poder no Congresso

Altura mediana, feio, com um vício de dicção que picava a frase em pedaços, o presidente-marechal Eurico Gaspar Dutra, o ministro da Guerra e condestável do Estado Novo, realizou um governo marcado por algumas grandes obras como a duplicação e o asfaltamento da rodovia Rio–São Paulo, batizada com o seu nome, e a construção da hidrelétrica de Paulo Afonso.

De trato amável com a pequena roda de amigos, a morte da esposa, dona Santinha, companheira de muitos anos, acentuou o isolamento e, ao mesmo tempo, abrandou a vigilância na seleção dos freqüentadores da intimidade do Palácio do Catete. Ali brotou e ganhou viço a turma da "copa e cozinha", que, segundo a maledicência, recebeu o apelido quando um repórter credenciado surpreendeu na primeira, em mangas de camisa, o senador Georgino Avelino, do PSD do Rio Grande do Norte, com as mãos ocupadas com uma imensa fatia de melancia, gulosamente saboreada às dentadas, com a calda escorrendo pelo rosto e pingando na mesa.

Talvez fosse exagerada a influência da "copa e cozinha" nas decisões administrativas e políticas do governo. Mas, sem dúvida, foi determinante na rede de intrigas que bloqueou a candidatura do senador Nereu Ramos, o nome de mais prestígio do PSD, como o candidato natural à Presidência da República, que o ex-ditador Vargas apoiaria. O veto tornou inevitáveis a candidatura de Vargas e a sua volta triunfal, em 1950, nos braços do povo.

Mas, desde a instalação da Assembléia Nacional Constituinte, em 1946, na onda de entusiasmo e de esperança popular com o reencontro com a democracia, começou a fase de ouro da eloqüência parlamentar e, pelo visto, a sua despedida, não apenas pela perda de qualidade, mas, e principalmente, porque o modelo consagrado na Constituição de 1946 não resistiu à série de infortúnios e foi sepultado, em Brasília, nos quase 21 anos da ditadura militar.

A memória revive o cenário na moldura do confessado saudosismo. Como ponto de partida, sua nítida arrumação no Palácio Tiradentes, a casa da Câmara dos Deputados. No Senado, a alguns minutos a pé, no Palácio Monroe, derrubado pela insensibilidade do presidente Ernesto Geisel, com dois senadores eleitos por cada um dos 21 estados, precatava-se na rotina mansa da boa convivência entre senhores de calvas e cabelos brancos, com a atração das tardes de grandes debates entre adversários estaduais.

Na arrumação tradicional da Câmara, do lado direito do plenário, a bancada da oposição e a tribuna da oposição; à esquerda, a maioria governista.

Quando lá cheguei em fins de 1948, meado do governo Dutra, já não encontrei a bancada do Partido Comunista, cassada depois da legenda, pelo radicalismo ideológico do presidente e do seu chefe da Casa Civil, o paraibano Pereira Lira.

O erro repetido da obtusidade que não enxerga um palmo além dos antolhos. O PCB era bom de comício; ruim de voto; e nunca chegou a constituir ameaça aos donos do poder e das Forças Armadas. Os surtos do Nordeste, a chamada intentona da Praia Vermelha, mais denunciaram a fragilidade da esquerda do que o perigo efetivo da ocupação do governo. E, posto na ilegalidade, caiu na conspiração reprimida pelo revide violento da polícia, com a seqüência das torturas, das prisões rotineiras, da mesquinharia dos acertos de contas.

Na Câmara, e em segundo plano no Senado, o jogo do poder definia o modelo democrático do confronto polarizado entre os blocos conservadores do governo e da oposição e seus satélites. A inevitável crítica à exclusão da oposição ideológica é tão exata e desfocada quanto a que reclama do pouco interesse pelos temas econômicos, privilégio de raros especialistas.

Em primeiro lugar, o país era esmagadoramente conservador. E se as eleições com cédulas impressas de todos os tamanhos e feitios distribuídas pelos partidos e candidatos eram viciadas pelas fraudes, especialmente nos grotões do interior, nunca que me lembre foi contestada a legitimidade de uma eleição presidencial. Roçavam na suspeita as eleições para governadores, principalmente no Norte e Nordeste.

A UDN dos bacharéis e dos lenços brancos sustentava a bandeira libertária do compromisso democrático. Tranqüilo da superioridade da máquina administrativa, o PSD, de pachorrenta sabedoria, desfrutava o poder federal e a maioria dos estados.

Nunca mais o Congresso pôde orgulhar-se de debates de tal nível entre os maiores oradores do período republicano, que começa com a queda do Estado Novo.

Não era só a fina casca do brilho oratório que lotava as modestas galerias dos palácios Tiradentes e Monroe praticamente todos os dias da semana útil de quem se respeita, que começa segunda-feira e termina sexta-feira. Muitas vezes, a urgência da votação de projetos importantes exigia a convocação de sessões aos sábados, com freqüência normal.

Não resisto aos trancos da saudade e, com desculpas pelas omissões inevitáveis, componho a lista pessoal de notáveis: Carlos Lacerda, o maior orador que conheci; Afonso Arinos de Melo Franco, o mais completo parlamentar possivelmente de todos os tempos; Milton Campos, Aliomar Baleeiro, Bilac Pinto, Prado Kelly, Oscar Dias Correia, Adauto Lúcio Cardoso, Nestor Duarte, Raul Pilla, Gustavo Capanema, Vieira de Melo, Flores da Cunha, José Diogo Brochado da Rocha, Nereu Ramos, Alberto Deodato, Leonel Brizola, Rui Ramos, Otávio Mangabeira, José Américo de Almeida, Antonio Balbino, Amaral Peixoto, Samuel Duarte, Ulysses Guimarães, José de Magalhães Pinto, Antonio Carlos Magalhães, Juracy Magalhães e dezenas de outros em todas as bancadas.

Na marola da renovação, nas ondas da bossa nova da UDN e da ala moça do PSD, muitos nomes com lugar na crônica deste tempo: Aluísio Alves, José Sarney, Seixas Doria, José Jofilly, Paulo Sarasate, José Aparecido de Oliveira, Ney Braga e, pelo menos, mais meia dúzia dos que fizeram carreira.

O peso político do Congresso, a sua importância como peça fundamental da experiência democrática devem ser avaliados pelas singularidades que não se transferiram para Brasília com a mudança da capital, em 21 de abril de 1960.

De logo, a atuação política do presidente da República era exercida a distância do seu gabinete no Palácio do Catete e chegava à Câmara e ao Senado por meio dos seus líderes, com autoridade para negociar acertos referentes à votação dos projetos do seu interesse.

O presidente preservava-se na distância do Centro ao Palácio do Catete. Era reduzido o número de parlamentares com livre acesso ao seu gabinete; pouquíssimos os jornalistas com linha direta. O que não era desprezível nem essencial. A Câmara que freqüentei durante 12 anos, das 14h ao fim da sessão, era a fonte de informações, que recolhíamos nas conversas no plenário, inclusive durante as sessões no espaço a que tínhamos acesso, na faixa chamada "terra de ninguém", entre a Mesa e as bancadas. A imprensa, com duas filas de cadeiras, encostava-se à divisão com a Mesa. E todo o tempo o giro de quilômetros pelos corredores, a sala do café, os gabinetes dos líderes, dos membros da Mesa Diretora, das comissões, na magnífica biblioteca de poucos freqüentadores.

Na verdade trabalhávamos em tempo integral. Desde a manhã para a cobertura das reuniões dos partidos, como a clássica da UDN, em sua sede na rua México, que começava às 10h e nunca terminava antes do meio-dia. A única com as portas abertas ao público, em dias de debate fervente garantia a matéria destacada.

O clima de informalidade da UDN na sua melhor fase pode ser conferido pelo episódio, ao tempo em que o então deputado Otávio Mangabeira era o seu presidente. Sessão monótona, com o orador embalado na longa exposição de querela municipal. O deputado Aluísio Alves, secretário-geral, chegou atrasado. Sentou-se ao lado de Otávio Mangabeira e, curioso, indagou ao pé do ouvido:

– Quem é o ilustre orador?

Resposta em cima da bucha:

– Não sei. Deve ser um transeunte...

O escrete da imprensa

O jejum de oito anos de censura e de ditadura paisana com pano de fundo militar abafou o interesse popular pela atividade política, que explodiu, como rolha de garrafa de bebida gasosa, impondo aos jornais a urgente improvisação de equipe para a cobertura da Constituinte e, depois, do Congresso, dos partidos, com as fofocas, crises e os sarilhos estaduais.

Veteranos de antigas refregas foram mobilizados às carreiras para acompanhar os trabalhos e debates da Assembléia Constituinte. Prudente de Morais, neto, o Pedro Dantas do meu culto, voltou em plena forma ao *Diário Carioca* com os primorosos artigos da seção fixa. No *Correio da Manhã*, com a fúria das críticas demolidoras, Carlos Lacerda encheu colunas com a seção "Da Tribuna da

Imprensa", nome do seu futuro vespertino. E o baiano Heráclio de Assis Salles, dos melhores textos da imprensa, aprimorou a cobertura do plenário no jeito de crônica, que habitou durante anos a última página do mais importante jornal do país. Osvaldo Costa ocupou o espaço na *Folha de S. Paulo*.

Mas era apenas o corre-corre para calafetar as frestas. As coisas foram sendo arrumadas nos seus lugares. Os maçudos matutinos da leitura da família inauguraram latifúndios para assentar a novidade que vendia jornais como água. E os vespertinos, para a leitura da volta a casa, chegavam às bancas no começo da tarde e também eram vendidos pelos jornaleiros pendurados nos estribos do bonde, saídos das rotativas, com a tinta fresca das últimas novidades. Isso, muito antes da era do rádio.

Quando cheguei à Câmara, em fins de 1948, as faixas de cobertura estavam definidas, com as equipes completas. Basicamente eram três setores: as comissões técnicas, especialmente a de Constituição e Justiça e a da Fazenda, com a rotina das sessões diárias intercaladas com as que pegavam fogo com os debates de temas polêmicos.

No topo, a cobertura do plenário. Nada que se compare com a madraçaria do Congresso de Brasília, com dois ou três dias úteis da anêmica semana dos milionários das mordomias, vantagens e a penca de mutretas.

Todos os jornais, matutinos e vespertinos, pautavam em espaços nobres as matérias políticas. Com as seções fixas para a copiosa cobertura dos plenários do Senado e da Câmara; duas colunas, em geral, para as comissões e o que fosse necessário para as notícias políticas.

A andança de todos os dias centralizava-se na Câmara, mas se estendia ao Senado, às reuniões dos principais partidos, aos gabinetes de ministros e às conversas para a cata da matéria exclusiva, do furo que credencia o jornalista.

Um a um foram chegando os que formaram a mais brilhante geração de jornalistas políticos das últimas décadas. Carlos Castelo Branco, o Castelinho, que se consagraria como o maior jornalista político do Brasil, apareceu mais tarde, em 1952, para ocupar a primeira página do *Diário Carioca*. Os que assinavam seções diárias não eram muitos: Murilo Marroquim e Doutel de Andrade no *O Jornal*; Odylo Costa, filho, no *Diário de Notícias*; Ozéas Martins, no *Correio da Noite*; Hélio Fernandes, no *Diário de Notícias*.

Com a geração que forjaria, no dia-a-dia, o novo modelo de cobertura política com as marcas da imparcialidade, da análise, da interpretação, dava para escalar mais de uma seleção. Que a memória não me traia: Benedito Coutinho, Otacílio Lopes, o "cara de onça", Oyama Brandão Telles, Otto Lara Resende, Francisco Pedro do Couto, Ascendino Leite, Francisco de Paula Job, Antonio Carbone, Francisco de Assis Barbosa, Samuel Wainer, Fernando Pedreira, Marcelo Pimentel, Evandro Carlos de Andrade, Pedro Gomes, Walter Fontoura, Wilson Figueiredo.

Repito: a cobertura política imparcial, analítica, interpretativa foi construída nos ajustes de cada dia pela geração que participou e contribuiu para a mudança ética dos grandes jornais na longa transição da mordaça da censura para a fase partidária, conservadora e udenista até o salto, no impulso do governo de Juscelino Kubitschek, para a clara separação entre os editoriais que sustentam as opiniões do jornal e o espaço livre das notícias, reportagens e seções que devem informar o leitor.

Envolvido nas intrigas palacianas da "copa e cozinha", com o ranço de um reacionarismo conservador e o cerco de ódios e ambições, o presidente Eurico Dutra amargou a dupla derrota do candidato oficial, o correto mineiro Cristiano Machado, arrastado ao sacrifício e ao abandono pelo PSD e pela volta de Getúlio Vargas nos braços do povo.

Mais de meio século depois, é inexplicável que a obtusidade dos aduladores que se infiltraram no governo para a teia de intrigas não tenha enxergado a solução natural que se ofertava na bandeja do bom senso.

Os quatro anos de exílio voluntário curtido nos pampas, como solitário que parecia desligado do mundo entre os peões e a vigilância do tenente Gregório Fortunato – fumando charutos espichado na rede da fazenda de modéstia franciscana, com mais 30 quilos de gordura concentrados em volta da cintura, desinformado, desinteressado das leituras da mocidade –, sugaram as ilusões do caudilho sessentão.

Quando começou, muito lentamente, a campanha para o lançamento da sua candidatura à sucessão de Dutra, metade da família, a começar pela Alzirinha, a filha querida, foi radicalmente contra o retorno.

Por quatro vezes, duas com Danton Coelho – o obstinado articulador do retorno –, uma com Ademar de Barros e a última com o senador Nereu Ramos, presidente do PSD, estive em São Borja e em Santos Reis.

O fiasco da lista dos candidatos mineiros – os cinco gasparinos: Israel Pinheiro, Bias Fortes, Ovídio de Abreu, Carlos Luz e Cristiano Machado – fora patrocinado pela "copa e cozinha" palaciana, que se desesperava para contornar as resistências e deter a avalanche das adesões a Getúlio.

Na viagem com Nereu Ramos e a seu convite, acompanhei com Antonio Viana, de *O Globo* – repórter furão e de excelente texto –, na distância conveniente, a conversa cordial de Getúlio com o candidato natural do PSD, abatido pelo veto do governo.

Na viagem de volta no avião especial, o senador Nereu Ramos definiu o objetivo da viagem: pedir o apoio de Getúlio para o candidato do PSD. Pausa a justificar a hesitação e o furo proibido: Getúlio reafirmou que não queria ser candidato e arrematou – se o PSD indicar o seu nome, terá o meu apoio e não serei candidato.

Nereu fungou, seu cacoete, e com voz firme: "Não publiquem isto. Se publicarem, eu desminto. Eu não posso vir ao encontro de Getúlio para pedir o apoio a um candidato do PSD e voltar com o recado que ele apóia a minha candidatura."

Estavam selada a derrota do governo e arrombada a porta para a volta de Getúlio. Bem como aberto o desvio no rumo do óbvio que levaria, aos trancos e barrancos, aos 21 anos da ditadura militar.

A candidatura natural de Nereu Ramos racharia a UDN, teria o apoio de Getúlio com todas as probabilidades de folgada vitória e mudaria o curso da história.

Roteiro até a outra ditadura

A volta em charola do ex-ditador Getúlio Vargas, mais velho, com quilos sobrando nas gorduras gaúchas, esgotou a taça da amargura, lavou a mancha da alma e saciou a gana da desforra.

Mas o preço da aliança, negociada com os dribles da madura experiência, ainda assim foi salgado. O governador paulista Ademar de Barros, dono da caixinha e de fiéis dois milhões de votos, negaceou até onde a guarda de Getúlio permitiu e saiu da fazenda de Santos Reis passando o recibo na indignação do golpe que foi forçado a encaixar: na hora de assinar o documento do acordo, Ademar rabiscou o jamegão e passou o papelucho às mãos do candidato.

Getúlio passou os olhos e repassou ao deputado Danton Coelho com a marota desculpa: "Assinas tu, que és o representante do PTB e quem articulou este acordo."

Ademar desabafou, entre palavrões: "Este papel não vale nada como compromisso político."

Valeu para a imposição como vice-presidente do deputado Café Filho, do Rio Grande do Norte, de brilhante atuação parlamentar, sempre encerrada com a advertência: lembrai-vos de 37!

O retorno cobra caro. Os êxitos na administração travada pela inflação e sob o fogo da UDN, e aliados que não engoliram a segunda derrota do brigadeiro Eduardo Gomes, adubaram o canteiro para o desfecho trágico. Na *Tribuna da Imprensa* e em todas as tribunas disponíveis, Carlos Lacerda sustentava campanha implacável, de virulência mortal e sem limites.

O mais é sabido. O atentado da rua Toneleros, tramado no gabinete de Gregório Fortunato, chefe da guarda pessoal do presidente e executado pelo capanga Climério, acertou um tiro no pé do parlamentar e matou o major da Aeronáutica Rubem Vaz, que é nome de rua no Jardim Botânico, incendiando o país.

Acuado, sem saída, sob a ameaça de depor no inquérito dos militares da Aeronáutica, no Galeão, na madrugada de 24 de agosto de 1954, Vargas suicidou-se com um tiro que varou o coração.

E deixou como legado a carta-testamento redigida pelo secretário Maciel Filho, que deu a forma definitiva ao rascunho do punho do presidente.

A UDN acusou o safanão político. "O suicídio do Getúlio estragou a nossa festa", lamentou Carlos Lacerda na perplexidade diante do inesperado.

Palavras proféticas. E como! Não se pode creditar a eleição de JK à virada da opinião pública em todo o país, na explosão de violência que transbordou para as ruas e praças, depredou e incendiou prédios de jornais, rádios, sedes de partido de oposição e desfilou no desespero da multidão acompanhando a remoção do corpo do Catete para o aeroporto Santos Dumont. E que parou Porto Alegre e se renovou no sepultamento em São Borja.

O governo do vice Café Filho, que assumiu a Presidência rompido com a família Vargas e odiado pelos getulistas, seria tisnado por bisonhos erros táticos. Sem diálogo com o PSD, repudiado pelo PTB e pela esquerda, buscou o apoio da UDN que ocuparia os principais ministérios.

No clima de crise que fermentava nos bastidores, durante o ano de três meses do governo udenista de Café Filho – de 24 de agosto de 1954 a 8 de novembro de 1955 –, a candidatura de Juscelino Kubitschek (que resistiu às manobras e pressões golpistas para retirar a sua candidatura) esmagou as resistências no Partido Social Democrático e costurou o acordo com o PTB, sob o comando de Jango Goulart, o herdeiro de Vargas.

O governo Café Filho foi derrubado pelo golpe militar liderado pelo marechal Teixeira Lott, ministro da Guerra, e pelo general Odílio Denys, e a UDN sem lenço e sem documento entrou atrasada na candidatura do general Juarez Távora. Como favas contadas, a chapa JK-Jango foi eleita com folga para o mandato de cinco anos – de 31 de janeiro de 1956 a 31 de janeiro de 1961.

Simpático, risonho, inquieto, JK cunhou a imagem popular do otimismo, do realizador de grandes obras, do construtor de Brasília, incentivador da indústria automobilística com a obsessão da volta ao poder em 1965.

Jogou as pedras da imprudência, aceitando provocações na campanha para a eleição do seu sucessor. Convencido da transparente inviabilidade eleitoral da candidatura do marechal Lott, de inabilidade anedótica, JK cruzou os braços e assistiu de camarote à eleição de Jânio Quadros, o primeiro fenômeno eleitoral de ascensão fulminante, saltando degraus do mandato de prefeito de São Paulo a governador de São Paulo e presidente da República, de 31 de janeiro de 1961 à renúncia em 25 de agosto de 1961.

O enigma da renúncia da embirutada e excêntrica personagem encontrou o seu mais lúcido analista na centena de páginas do livro *A renúncia de Jânio*, da autoria do seu assessor de imprensa, Carlos Castelo Branco, o grande repórter.

A luta interna pelo poder, com o pano de fundo ideológico do choque entre as forças conservadoras da UDN e aliados – apadrinhadas pelo ministro da Justiça, Oscar Pedroso Horta – e o amplo leque da ascendente corrente de esquerda, com suas bases sindicais, de estudantes e de movimentos de inspiração sindicalista – amparados pelo secretário particular José Aparecido de Oliveira, um articulador temível pela obstinação, capacidade de envolvimento e entrega total ao seu objetivo – repicava como sinos na cuca de Jânio. Imprensado entre as duas personalidades poderosas, Jânio parece que entrou em parafuso. Por instinto, pendia para a esquerda em função da sua sensibilidade política de um convicto na força da popularidade. Mas a necessidade de conservar as bases que o sustentavam não podia ser dispensada.

Para um temperamento agitado, de rompantes e sem intimidade com o jogo político clássico – que detestava –, o golpe da renúncia para negociar o retorno, nunca se soube em que condições, mas certamente com poderes excepcionais, foi a opção a que recorrera, sempre com sucesso, em várias oportunidades.

A renúncia de Jânio foi como um soco no estômago da UDN e do bloco oposicionista e uma rasteira por trás nos militares. Em dose dupla: pela frustração, pelo inesperado, pela decepção que atirou na sarjeta as esperanças de uma grande administração, que repetisse, em plano nacional, os badalados sucessos paulistas. E pela crise militar, política e popular que arrebentou com explosões na instantânea reação à posse do vice-presidente, eleito com votação maior do que a do cabeça de chapa, no sistema tão amalucado quanto o renunciante e que permitia o voto para os mandatos majoritários de presidente, governador e prefeito a candidatos de partidos e coligações diferentes.

Jango montou o Jan-Jan com a cumplicidade de líderes janistas para o voto da dupla em traiçoeira e indigna manobra contra o senador Milton Campos, uma extraordinária figura humana, de exemplar modéstia, jurista e escritor e da mais límpida honradez e dignidade.

O veto militar dos ministros das três armas, a ameaça de agitação nas ruas e a mobilização da resistência liderada pelo governador Leonel Brizola, do Rio Grande do Sul, cunhado de Jango, com a adesão do comando militar da região e da Polícia Militar Estadual, que cercou o Palácio Piratini, empurraram o país para a iminência de uma revolução que pela primeira vez racharia as Forças Armadas.

O Congresso fez o dever de casa. Da iniciativa dos senadores Afonso Arinos e Nelson Carneiro, e do deputado Raul Pilla, resultou a solução da emenda de um parlamentarismo de emergência. Arranhando a garganta, acabou sendo engolida com caretas pelos governistas e oposicionistas.

O fator Brasília

Na escalada de erros que corroeram o governo, a mudança da capital do Rio para Brasília inacabada, um canteiro de obras na solidão do cerrado, em 21 de abril de 1960, na reta final do mandato de JK e trunfo para o sonho da volta no JK-65 provocou um terremoto político, com fraturas expostas na democracia e no Congresso.

A culpa não é da cidade planejada por Lucio Costa nem dos palácios, prédios, apartamentos da prancheta do gênio de Oscar Niemeyer. Mas da pressa, do jeitinho malandro das improvisações que tresandavam a suborno, para vencer a resistência dos que se recusavam a mudar com a família para o ermo do planalto.

O Congresso na perfeita cadência da Câmara e do Senado provou do melado das facilidades que viraram vício. As famílias de parlamentares recusaram a mudança para os apartamentos funcionais dos blocos vazios. O jeito foi apelar para o cofre da viúva, estabelecendo que os senadores e deputados teriam direito a quatro passagens aéreas mensais de ida e volta para os fins de semana na sua base eleitoral. E, claro, a semana útil encolheu até os dois a três dias, das terças às quintas-feiras.

Arrombada a cerca, o estouro abriu atalhos para o festival das mordomias, vantagens e benefícios que douram o mandato parlamentar como um dos melhores empregos, com ganhos mensais acima dos R$ 100 mil.

Na mesma toada, a cobertura parlamentar virou cambalhotas até equilibrar-se em um novo modelo, com o gosto insosso de comida requentada. Nenhum jornal conseguiu transferir para Brasília a equipe da cobertura das três áreas: plenário, comissões e política.

Faltou tudo: vontade, moradia e assunto. Plenário às moscas três dias por semana liquidou com as seções fixas que registravam os debates, votações e a rotina legislativa.

Congresso sem repórteres é como sino sem badalo.

A Redentora dos generais-presidentes

O presidente Jango Goulart não sossegou enquanto não antecipou o plebiscito para acabar com o parlamentarismo e assumir os poderes do presidencialismo. Às turras com o cunhado Leonel Brizola na aposta sobre quem era mais de esquerda, esticaram a corda que era de borracha e partiu ao meio, derrubando os dois e muita gente na revolução sem um tiro que acabou com a festa da democracia em 1º de abril de 1964. E que duraria quase 21 anos, encerrando-se com a eleição indireta de Tancredo Neves, o presidente que morreu em 21 de abril, antes de tomar posse. Seu vice, José Sarney, assumiu como presidente em 15 de março de 1985.

Êxitos e acertos administrativos à parte, no que aqui tratamos, visto em conjunto, o rodízio dos cinco generais-presidentes foi um desastre para a democracia. Como em geral detestavam os políticos e a política, desarrumaram a casa, botaram os móveis na rua e tomaram as decisões mais estapafúrdias, algumas de um primarismo de pasmar. Com mais ou menos pecados, nenhum escapou sem escoriações.

O presidente Castelo Branco começou pisando macio. Com fama de udenista, eleitor e fã de Carlos Lacerda, na primeira crise que alvoroçou os quartéis editou o AI-2, em 27 de outubro de 1964, que, entre outras barbaridades, extinguiu os partidos políticos e impôs o bipartidarismo de chocadeira. De ovos de procedência duvidosa nasceram a Arena – que defini um dia como "a filha da UDN que caiu na zona" – e o MDB, um bando de retirantes que recolhia todos os sem-partido.

De lá para cá, nunca mais o confronto eleitoral ou a rotina da atividade política conseguiu restabelecer a polarização natural.

Para os tempos da ditadura não fez a mínima falta. O quinteto dos generais-presidentes tocou o governo na afinação do temperamento de cada um. O presidente Castelo Branco entregou os pontos e aceitou a candidatura do general Costa e Silva, o seu ministro da Guerra com sólido apoio militar. Aí começa o torvo período da violência, da tortura, do extermínio dos movimentos de resistência de jovens e militantes da esquerda. A passeata dos 100 mil, promovida pelos estudantes, invadiu o Centro do Rio e desfilou ao longo da avenida Rio Branco.

Um irrelevante episódio parlamentar forneceu o pretexto para o golpe dentro do golpe. O discurso do deputado Márcio Moreira Alves para o plenário vazio concitando o povo a boicotar a parada militar de 7 de setembro provocou intensa reação do governo, que encaminhou ao Supremo Tribunal Federal (STF) o pedido de licença para o processo de cassação do mandato, negado pela Câmara por 216 votos contra 141.

A 13 de dezembro de 1968, o presidente Costa e Silva cedeu à pressão militar e editou o AI-5, o mais radical desatino ditatorial da história republicana.

No ano seguinte, anunciou o gradual retorno à democracia com o projeto de reforma constitucional a ser encaminhado ao Congresso na sua reabertura, em 7 de setembro. Com espasmo cerebral, é substituído pela junta militar formada pelos ministros do Exército, da Marinha e da Aeronáutica, que impede a posse do vice, o civil Pedro Aleixo.

A fase de endurecimento e da tortura, com a criação dos DOI-Codi em janeiro de 1970, é a mancha negra de tempos de horror.

A ditadura tira a máscara. Uma comissão de generais é constituída para comandar o processo sucessório na área militar, que termina com a indicação do general Emílio Garrastazu Médici, logo a seguir aprovada pelo Congresso, de cócoras.

Nem um passo para a reabertura nos quatro anos do seu mandato. E que só caminharia, com tropeços, cautelas e avanços, no governo do general Ernesto Geisel, de 15 de março de 1974 a 15 de março de 1979. Geisel acaba com a censura à imprensa e com a tortura de presos políticos. Mas, na contramão, edita o Pacote de Abril com o Congresso fechado, para mudar as regras eleitorais: cria os senadores biônicos eleitos indiretamente pelas assembléias estaduais e espicha o mandato presidencial para a eternidade de seis anos.

O último dos cinco é o general João Batista de Oliveira Figueiredo – 15 de março de 1979 a 15 de março de 1985 –, de anedótica lembrança. Começa com boa conversa, jura restabelecer a democracia. A profunda recessão econômica de 1981 a 1984 enferruja a popularidade do presidente, fascinado pelos cavalos de salto.

Na noite de 30 de abril de 1981, explodem as bombas no RioCentro, onde se realizava um festival de música popular comemorativo do Dia do Trabalhador. Uma bomba estoura no colo do capitão do Exército que comanda a operação, identificada como de clara inspiração terrorista.

O presidente Figueiredo encolhe-se e aceita a versão inverossímil do inquérito militar que atribui o atentado aos terroristas.

A conta chega pesada com o resultado das eleições diretas de 15 de novembro de 1982. A oposição – PMDB-PDT – elege dez governadores dos principais estados.

Sem o controle da sucessão, o presidente Figueiredo cruza os braços e assiste do balcão à eleição indireta, pelo Colégio Eleitoral, em 15 de janeiro de 1985, de Tancredo Neves, o presidente que não tomou posse.

Crônica das oportunidades perdidas

O presidente Tancredo Neves morreu no dia 21 de abril de 1985 de uma infecção generalizada, primeiro ato da opereta de erros, escândalos, incompetência e obtusidade que nos empurrou para o beco sem saída da crise, com todo o jeito de encaroçar para contaminar os três poderes.

História recente que pode ser resumida para a tentativa de análise dos próximos desdobramentos.

Com o presidente Tancredo Neves também foi sepultado o último projeto político conseqüente, com amplas probabilidades de dar certo. A partir da preliminar. Dele ouvi, em longa conversa pela manhã, dias antes da data da posse, na varanda do seu apartamento na avenida Atlântica, com vista panorâmica para a baía de Guanabara, o meditado esquema para o controle da Assembléia Nacional Constituinte que se reuniu de 1987 a 1988, quando foi promulgada, em 5 de outubro, a remendada e irreconhecível Constituição dos disparates e contradições.

Quando estranhei a criação de ministérios, em aparente desmentido ao recado do "é proibido gastar", ouvi a lição de matreirice mineira, em que foi o mestre:

– Mas este é o ministério da Constituinte, montado peça por peça para não perder nenhum aliado e garantir a maioria indispensável à liderança da Assembléia. Promulgada a Constituição, é claro que teremos que reformar o ministério para executá-la.

O que eu não podia adivinhar é que nada daria certo no fundamental: a reforma política para desentortar as instituições, antecipando-se à crise, que foi inchando a cada um dos governos da escalada das oportunidades perdidas.

Em poucas linhas: o vice José Sarney, que exerceu o mandato do presidente Tancredo, egresso do PDS, nunca foi aceito pelo PMDB do frustrado doutor Ulysses Guimarães, que o atazanou em ronda incessante. E, sem maioria no Congresso, nem sequer ousou propor uma reforma constitucional.

O segundo dos fenômenos eleitorais, depois do aloprado Jânio Quadros, foi o de ascensão mais surpreendente. Ninguém levou a sério o jovem governador de Alagoas, Fernando Collor de Mello, sem partido e popularidade, quando anunciou que era candidato a presidente da República. E o caçador de marajás chegou lá, derrotando Lula, Brizola e um punhado de candidatos com um discurso de forte impacto e promessas. Tomou posse em 15 de março de 1990, para renunciar, antes da cassação do seu mandato, em 29 de setembro de 1992. Não tinha projeto de reforma política nem tempo ou suporte político para tentá-lo. Foi tragado pelas denúncias de desvio de verbas públicas e crucificado pelo depoimento do irmão.

O vice Itamar Franco, mineiro com todas as manhas, deixou o Palácio do Planalto com o índice recordista de 92% de aprovação popular. Conseguiu eleger o seu sucessor e ministro da Fazenda, Fernando Henrique Cardoso, no balanço de rede do êxito da derrubada da inflação.

O presidente FHC tinha tudo à mão para propor e liderar a reforma política de desesperada urgência. Mordido pelo marimbondo de fogo da reeleição, apostou todo o cacife na montagem da maioria qualificada para aprovação da emenda constitucional que arrombou a cancela para o segundo mandato.

A praga da reeleição contaminou o Palácio do Planalto e todos os governos estaduais e prefeituras municipais. O candidato a mandatos executivos, mesmo antes de eleito, tão logo sonha que pode ganhar a eleição não pensa em outra coisa e não dá um passo sem avaliar as suas implicações eleitorais. Escravo da ambição, em geral compromete os dois mandatos; o segundo, no rascunho de esboços para fazer o sucessor.

O desgaste do segundo mandato de FHC é uma peça da engenhoca que garantiu a eleição do retirante pernambucano aos cinco anos de idade, Luiz Inácio Lula da Silva – o filho da heróica dona Lindu, torneiro mecânico aos 15 anos, peladeiro bom de bola e de cachaça, o maior líder sindical do país, fundador do PT –, a presidente da República em 2002 e à reeleição por mais de 60 milhões de votos, em 2006.

A biografia do segundo presidente reeleito na recaída democrática que começa com a derrubada do Estado Novo de Getúlio Vargas, no longínquo 29 de agosto de 1945, soprou as brasas da esperança de uma reforma política de inspiração popular, com borrões socialistas e inspirada no propósito de arrumar o anarquizado esquema partidário.

Até aqui, com meses do segundo mandato que parece não ter começado, pior do que a desistência formal da reforma política é a suspeita astúcia de vender carne de bichano por de faisão.

A crise lavra como incêndio nas terras amazônicas destruídas pelas motosserras e os incêndios nas barbas do Ibama e do Ministério do Meio Ambiente. Em dimensões diferentes, todas assustadoras, alastra-se pelos três poderes, sem respeitar a toga ou os gabinetes do Executivo.

Já experimentamos todas as receitas, engolimos as mais amargas mezinhas: dos oito anos da ditadura civil do Estado Novo de Getúlio aos 21 da ditadura militar do rodízio de cinco generais-presidentes e das duas purgas paisanas, a de 1945 ao golpe de 1964 e de 1985 até hoje.

A crise do regime é ética. O Congresso, desmoralizado, não tem autoridade para propor a reforma política. Por sua vez, o governo patina nas escorregadias poças palacianas, de duvidoso piso moral.

Como está não dá para continuar por muito tempo. E o que vem a caminho ainda não se identifica.

A acerba conclusão é que sempre tem jeito.

O jeitinho não resolve, tapeia.

O que não há é quem dê jeito.

Roberto Pompeu de Toledo

O ABC da viabilidade

A – Amendoim

"O poeta come amendoim", incluído no livro *Clã do jabuti*, de 1924, é um dos poemas mais bonitos de Mário de Andrade. Enquanto come amendoim e mastiga sua "gostosura quente", o poeta medita sobre o Brasil. Detém-se na pasmaceira alienada do Império ("A noite era para descansar. As gargalhadas brancas dos mulatos.../ Silêncio! O imperador medita os seus versinhos.") e lamenta a timidez da República ("Progredir, progredimos um tiquinho/ Que o progresso também é uma fatalidade."). O poema ganha ritmo e vigor nos versos finais:

> "Brasil amado não porque seja minha pátria,
> Pátria é acaso de migrações e do pão-nosso onde Deus der...
> Brasil que eu amo porque é o ritmo no meu braço aventuroso,
> O gosto dos meus descansos,
> O balanço das minhas cantigas amores e danças.
> Brasil que eu sou porque é a minha expressão muito engraçada,

Porque é meu sentimento pachorrento,
Porque é o meu jeito de ganhar dinheiro, de comer e de dormir."[1]

O Brasil do poeta não é uma bandeira, não é um hino, não é um ponto no mapa. Não é uma expressão de potência, ou de impotência, perante o conjunto das nações. Ele é a forma na qual o poeta foi moldado, são seus gostos e seu temperamento. É seu jeito, muito concreto e vital, de ganhar dinheiro, de comer e de dormir. Em outras palavras, o Brasil é ele mesmo. Ou, por outra: somos nós mesmos. Vistas as coisas desse modo, não cabe perguntar se tem jeito ou não tem jeito.

Tem que ter jeito.

B – Bala perdida

"Amor, levei um tiro na perna. Estou largada na calçada." A professora Matilde Ferreira, de 40 anos, informou assim ao marido, pelo telefone celular, o que acabara de lhe ocorrer, no dia 6 de março de 2007, em frente à escola em que trabalha, no bairro carioca da Penha, numa rua que dá acesso ao fatídico complexo de favelas do Alemão. "Mãe, levei um tiro", comunicara, uma semana antes, também pelo celular, a menina Priscila Aprígio da Silva, de 13 anos, atingida durante um assalto a banco no bairro de Moema, em São Paulo. Se Matilde foi operada e recebeu bom prognóstico, Priscila teve pior sorte: ficou paraplégica. No dia 9 de março de 2007, a empregada doméstica Vanessa Calixto, de 24 anos, levou um tiro no tórax quando ia buscar a filha na creche, na Cidade de Deus, Rio de Janeiro; morreu três dias depois. Foi a sexta vítima de bala perdida, na cidade, em uma semana. No mesmo dia 9, a vendedora Flávia Maria Delgado era morta na zona Leste de São Paulo. Foi a quinta vítima de bala perdida em dez dias na cidade.

Já houve caso de morto atingido por bala perdida. No dia 26 de julho de 2005, as sobras de um tiroteio alcançaram o cemitério São Francisco de Paula, no bairro carioca do Catumbi, quando ali estava sendo velada a babá Clenilde da Silva, de 50 anos. As pessoas presentes atiraram-se ao chão. Uma bala perfurou o caixão e alojou-se no fêmur da morta.

O Brasil não tem jeito.

C – Corpo da pátria

O Brasil mede 8,5 milhões de quilômetros quadrados. Tem de frente 7,4 mil quilômetros de litoral e, de fundos, 15,7 mil quilômetros de fronteiras bem equacionadas com dez vizinhos. É o quinto maior país do mundo. Não o castigam nem os furacões nem os vulcões. É cortado por generosas bacias hidrográficas e contemplado pela maior biodiversidade do planeta, qualidades que o tornam possuidor de 8% da água doce e de 20% das espécies animais e vegetais existentes. Mesmo a região mais problemática, o semi-árido nordestino, deve suas agruras mais às mazelas sociais e ao mau gerenciamento dos recursos do que propriamente à mãe natureza.

Os cenários apresentam-se de uma beleza épica capaz de fazer com que um tenor da eloqüência, como Euclides da Cunha, solte a voz, como no trecho de *Os sertões* em que, depois de descrever o "muro de arrimo" da serra do Mar, prossegue:

> "A terra sobranceia o oceano, dominante, do fastígio das escarpas; e quem a alcança, como quem vinga a rampa de um majestoso palco, justifica todos os exageros descritivos – do gongorismo de Rocha Pita às extravagâncias geniais de Buckle – que fazem deste país região privilegiada, onde a natureza armou a sua mais portentosa oficina."[2]

Se não tem jeito, quem há de ter?

D – Diáspora brasileira

Um grupo de 40 brasileiros, entre eles duas crianças, foi detido, no dia 18 de fevereiro de 2007, um domingo, na pequena (6 mil habitantes) cidade de Falfurrias, no Texas, quando entrava ilegalmente nos Estados Unidos. Eles já estavam a 120 quilômetros da fronteira do México. Tiveram azar. Em Falfurrias, onde há um posto de fiscalização, cães farejadores sentiram cheiro de seres humanos no compartimento fechado do caminhão em que viajavam. Ou talvez tenham tido sorte. No compartimento não havia ventilação alguma. Num caso semelhante, em 2003, 19 imigrantes morreram asfixiados. "Quando os policiais abriram o compartimento, um enorme calor desprendeu-se lá de dentro", disse à reportagem da *Folha de S. Paulo* um porta-voz do serviço americano de fronteiras.

Os brasileiros foram fotografados, dentro do caminhão. Apresentavam-se cabisbaixos, vencidos e humilhados. Não foram identificados, mas, pelas roupas, pareciam de classe média. Durante quase 100 anos, entre o terceiro quartel do século XIX e o terceiro do século XX, o Brasil fez o papel de recebedor, no jogo da imigração/emigração entre os países. De três décadas para cá, virou expulsador da própria população. Até já nos acostumamos a essa nova posição, assim como nos acostumamos à miséria e à violência.

O Brasil não tem jeito.

E – Esperança

João Francisco Ferreira de Souza, de 17 anos e pele escura, cursos fundamental e médio realizados em escola pública, classificou-se em primeiro lugar no vestibular 2007 da Universidade Estadual de Campinas (Unicamp), uma das melhores do país. João Francisco declarou-se pardo, o que lhe valeu dez pontos de crédito, e começou com outros 30 pontos de vantagem por ser originário de escola pública. Mesmo que não contasse com esse impulso, ficaria em segundo ou terceiro lugar. Passou em outras seis universidades, inclusive a USP e a PUC-São Paulo. Em quatro delas, ficou igualmente em primeiro lugar. Na USP, foi o primeiro na seleção para engenharia mecatrônica. Em fevereiro de 2007, hesitava entre esse curso e o de engenharia química na Unicamp.

Da quinta série para a frente, João Francisco cursou o Colégio Militar de Campo Grande (MS). Os colégios militares são melhores do que o geral das escolas públicas. Ainda assim, é uma proeza que tenha superado os concorrentes egressos da escola particular. Na mesma época em que se divulgavam os resultados dos vestibulares, estava em cartaz nos cinemas das principais cidades do país *Pro dia nascer feliz*, de João Jardim, um documentário sobre a escola no Brasil. É um flagrante cruel do estado da educação no país. Sai-se do cinema com a convicção de que o Brasil não tem jeito.

João Francisco indica que tem.

F – Futuro

> "... esse país, indubitavelmente, está destinado a ser um dos mais importantes fatores do desenvolvimento futuro do mundo... um mundo com espaço para trezentos, quatrocentos, quinhentos milhões de habitantes, e uma riqueza imensa sob esse solo opulento e intacto, da qual apenas uma milésima parte foi aproveitada... com surpreendente velocidade desvaneceu-se a presunção européia que muito superfluamente trouxera como bagagem. Percebi que havia lançado um olhar para o futuro do mundo."

As citações são de *Brasil, país do futuro*, de Stefan Zweig, livro de 1941.[3] Contra a Europa conflagrada, o autor austríaco contrapunha a paz e suposta harmonia reinante na terra que elegeu como refúgio. Muitos outros, antes de Zweig, desenharam o Brasil como o país do futuro. A rigor, a série já começa na *Carta* de Pero Vaz de Caminha. Livros de título homônimo, ou quase, ao de Zweig foram publicados pelo holandês N.R. de Leuw (*Brasil, um país do futuro*, de 1909), o alemão Heinrich Schuler (*Brasil, um país do futuro*, de 1912) e o italiano Francesco Bianco (*O país do futuro*, de 1922), entre outros.[4] Na Constituinte de 1823, o deputado mineiro Antônio Gonçalves Gomide previra:

> "O Pará terá um dia a opulência da Rússia; o Maranhão, a da Alemanha; Pernambuco, a da França; a Bahia, a da Grã-Bretanha; esta [a do Rio de Janeiro], a de toda a Itália; São Paulo, a da Espanha; Santa Catarina será a nossa Irlanda; a parte meridional do Brasil equilibrará, só por si, os Estados Unidos do norte do nosso mundo, enquanto Minas, compreendendo Goiás e Mato Grosso, será tão opulenta como é hoje a Europa toda."[5]

Gomide talvez tenha abusado da dose nos botequins das proximidades da Cadeia Velha, local onde funcionava a Constituinte (e mesmo local onde hoje se ergue o Palácio Tiradentes), antes da sessão daquele dia. "É muito exagerar", aparteou-o o colega Andrada Machado. Isso não anula o fato de que neste mundo virtual e hipotético, que é o futuro, o Brasil sempre levou jeito. Ou melhor: levava. De uns tempos para cá, a utopia brasileira sofreu abalos.

Terá ela ainda jeito?

G – Governos

Não tem jeito.

H – Hermanos

Ao se juntar, em 1948, ao grupo que, sob a liderança do argentino Raúl Prebish, reunia-se em Santiago do Chile na Comissão Econômica para a América Latina (Cepal), criada no pós-guerra pela Organização das Nações Unidas, o jovem (28 anos) economista paraibano Celso Furtado ficou surpreso com os números que, a muito custo, dada a escassez de estatísticas, conseguiu juntar sobre o Brasil. Com base em dados de 1939, a oferta de bens manufaturados por habitante, no país, correspondia a 26% da oferta da Argentina e 36% da do Chile. A produção brasileira de cimento, em 1947, representava a metade do que era produzido na Argentina, e a de energia elétrica,

65% do que era produzido na Argentina e 61% do que era produzido no México. "Tudo isso que estava descobrindo", escreveu Furtado, "chocava-me, mas não parecia surpreender de forma especial meus colegas. Só então me dei conta de quão pobre era a imagem de meu país no exterior".[6] O Brasil parecia não ter jeito.

Em 2007, a capacidade instalada de energia elétrica no Brasil, para citar o dado talvez mais revelador entre os alinhados pelo autor de *Formação econômica do Brasil*, é de cerca de 80 mil megawatts, contra 15 mil da Argentina. A virada brasileira parece espetacular. O Brasil tem jeito. Mas...

Mas considerado o Índice de Desenvolvimento Humano (IDH), medido pelo Programa das Nações Unidas para o Desenvolvimento (PNUD), lá estão os vizinhos, de novo, na frente. O ranking divulgado em 2006, com base em dados de dois anos antes, apresenta o Brasil em 69º lugar, entre 177 países. A Argentina, em 36º lugar, lidera o grupo latino-americano. O Chile aparece em 38º, o Uruguai em 43º, Cuba em 50º, e o México em 53º. Mesmo o Panamá, em 58º, supera o Brasil.

O Brasil ainda não se ajeitou.

I – Império

Os Estados Unidos meteram-se, no Vietnã, na maior encrenca de sua história, até então, e ali conheceram uma acachapante derrota. Cinqüenta mil americanos morreram na aventura. Convertido em militante pela paz, o ex-combatente John Kerry – que viria a ser senador e, em 2004, candidato a presidente – perguntava: "Quem será o último a morrer por um erro?" A leitura equivocada do que se passava no pequeno país e do que representava para a ordem mundial custou ao país, além de vidas, o dilaceramento interno e o desprestígio internacional. Mas, pelo menos, os EUA aprenderam uma lição.

Ou melhor... Vinte e oito anos depois da fuga de Saigon (a atual Cidade de Ho Chi Mihn), os Estados Unidos, agora sob George W. Bush, invadem o Iraque e envolvem-se numa encrenca com potencial para superar a do Vietnã. Em março de 2007, os americanos mortos eram mais de 3 mil. Os feridos, muitos deles mutilados, eram 23 mil. Para os iraquianos, assim como, antes, para os vietnamitas, não há conta confiável. Os EUA rebaixaram-se ao nível de promover torturas, efetuar prisões arbitrárias e – inovação suprema, na marcha a ré rumo à barbárie – manter os presos sem assistência jurídica nem tribunal a que recorrer. A opinião pública interna, tal como ocorrera na Guerra do Vietnã, abandonou o governo. O prestígio internacional do país foi ao chão.

Os Estados Unidos têm jeito?

J – Juniti Saito

No dia 21 de fevereiro de 2007 o presidente Luiz Inácio Lula da Silva assinou decreto nomeando os novos comandantes das Forças Armadas. Para o comando da Aeronáutica, nomeou o brigadeiro Juniti Saito. O nome não engana: trata-se de legítima flor da frondosa árvore dos brasileiros de origem japonesa. Pela primeira vez, um deles chegava ao mais alto posto nas Forças Armadas – e ninguém deu muita bola para isso. Os jornais noticiaram a nomeação laconicamente. Não se cuidou de chamar a atenção para a origem do novo comandante. Isso é muito bom.

O Brasil tem muito a caminhar no plano da integração das mal chamadas "raças", em especial no caso dos negros. Mas, ao mesmo tempo, já não chama a atenção a nomeação de ministros negros, no governo ou no Supremo Tribunal Federal. Nem o comandante militar de origem japonesa fica com cara de um Tojo em terra estranha. O mundo de fins do século XX e começos do XXI é um mundo abalado pela dificuldade de convivência de diferentes nacionalidades, etnias e religiões. A Europa acomoda-se mal à idéia de conviver com sua multidão de negros, árabes, turcos, indianos e paquistaneses. No Oriente Médio, ao conflito entre árabes e judeus somam-se os de cristãos e muçulmanos, no Líbano, e de árabes sunitas e xiitas, no Iraque e em outras partes. Há conflitos religiosos em países asiáticos como a Índia e em africanos como o Sudão. No Brasil, a convivência está longe de ser perfeita. Mas o país tem a moldura de uma sociedade multicolorida e mestiça que representa importante ativo.

O Brasil tem jeito.

K – Kubitschek

> "Olhem, para falar a verdade, eu acho bom essa coisa de viver o nosso presidente a esvoaçar para um lado e outro do Brasil. Não sei por que, mas anima o interior e conforta o país, esse presidente volante que sorri cada dia em um município, dá abraços, come seu frango ao molho pardo e angu, inaugura um troço qualquer, diz coisas otimistas. Na minha opinião isso só pode exaltar, como é uso dizer agora.
>
> O Brasil já de natural triste, com sua gente perdida pelas imensidões melancólicas, ficaria pior com um presidente casmurro e imóvel dentro do Palácio...
>
> Por mim, eu prefiro um presidente voando a dois na mão. Voando, ele é um anjo federal que não faz mal a ninguém, obriga a festinhas com banda de música e champanha. Sempre sobram uns docinhos para as crianças."

Esse trecho é de Rubem Braga, numa crônica de 1957, quer dizer, no meio do governo JK.[7] É lisonjeiro à memória do "presidente volante" ser tratado como alguém que "exalta", como se dizia então (nota o cronista) e não se diz mais. Deve significar o mesmo que nos países de língua inglesa se chama de "*inspiring leadership*", e que por lá eles tanto valorizam – uma liderança inspiradora. Poucos governantes brasileiros possuíram essa qualidade; nenhum como ele.

Se JK foi mesmo um presidente tão bom muitos contestam. Passou em julgado que foi. Não importa se o Juscelino que existiu é o mesmo que depois se apossou da imaginação dos brasileiros. É possível que este Juscelino tenha sido recriado (ou inflado) na razão inversa das frustrações que se seguiram.

Importa que se impôs com vigor, na consciência brasileira, a impressão de que, com ele, o país tinha jeito.

L – Libido

Em *Retrato do Brasil*, livro de 1927, Paulo Prado atribui boa parte da desgraça brasileira à "sensualidade livre e infrene" que por aqui campeou desde os primeiros tempos. Escreve o autor: "Para homens que vinham da Europa policiada, o ardor dos temperamentos, a amoralidade dos costumes, a ausência do pudor civilizado – e toda a contínua tumescência voluptuosa da natureza virgem – eram um convite à vida solta e infrene em que tudo era permitido." Esta era a terra "de todos os vícios e de todos os crimes". A "lascívia" era "brutal, monstruosa e desenvolta". Vigorava a "hiperestesia sexual a mais desbragada". E o pior é que, segundo o autor, esses "desvarios da preocupação erótica" acabaram por deixar "traços indeléveis no caráter brasileiro".[8]

Gilberto Freyre, em *Casa-grande & senzala*, também valoriza o erotismo na formação brasileira, mas de modo mais *light*, sem a sisudez censória do outro. Das índias peladas encontradas pelos portugueses ao chegar, cinco séculos atrás, às mulheres peladas que os turistas encontram hoje encarapitadas nos carros alegóricos no Carnaval, o Brasil firmou sólida reputação de país de livres costumes sexuais. Questão: o país não teria jeito por isso?

Ou, ao contrário, não têm jeito os países sob o jugo da rígida repressão sexual?

M – Maldição

Terra de Santa Cruz foi o nome pelo qual o Brasil foi conhecido nos primeiros anos. "Porém, como o demônio com o sinal-da-cruz perdeu todo o domínio que tinha sobre os homens, receando perder também o muito que tinha em os desta terra, trabalhou que se esquecesse o primeiro nome e lhe ficasse o de Brasil, por causa de um pau assim chamado de cor abrasada e vermelha com que se tingem panos, do qual há muito nesta terra, como que importava mais o nome de um pau com que se tingem panos que o daquele divino pau, que deu tinta e virtude a todos os sacramentos da Igreja, e sobre que ela foi edificada e ficou tão firme e bem fundada como sabemos."

O arrazoado é de frei Vicente do Salvador, em sua *História do Brasil*, concluída em 1627. Ele continua: "E porventura por isso, ainda que ao nome de Brasil se ajuntaram o de estado, e lhe chamam estado do Brasil, ficou ele tão pouco estável que, com não haver hoje cem anos, quando isto escrevo, que se começou a povoar, já se hão despovoados alguns lugares e, sendo a terra tão grande e fértil como ao diante veremos, nem por isso vai em aumento, antes em diminuição."[9]

Está explicado por que o Brasil não tem jeito.

N – Nonada

Com esta ninharia, esta bagatela, com este nada, como era o mundo antes de desencadear-se a criação, começa *Grande sertão: veredas*, o grande épico de Guimarães Rosa. O livro é a história do amor proibido de Riobaldo, o personagem narrador, por Diadorim. ("Se amor? Era aquele latifúndio. Eu ia com ele até o Rio Jordão... Diadorim tomou conta de mim.") Ou melhor: a história do leilão entre Deus e o diabo em que Riobaldo vê exposta sua alma. ("... o diabo é às brutas; mas Deus é traiçoeiro. Ah, uma beleza de traiçoeiro – dá gosto! A força dele, quando quer – moço! – me dá o medo pavor. Deus vem vindo: ninguém não vê. Ele faz é na lei do mansinho – assim é o milagre. E Deus ataca bonito, se divertindo, se economiza.") Ou melhor: é a história do mundo mágico e trágico do sertão ("Sertão: é dentro da gente."; "Sertão é o sozinho.").

Sobre Riobaldo, o próprio autor assim o definiu: "Riobaldo é algo assim como Raskolnikov, mas um Raskolnikov sem culpa, e que entretanto deve expiá-la. Mas creio que Riobaldo também não é isso; melhor: é apenas o Brasil."[10] Se Riobaldo tem jeito é questão em aberto. Mas se o Brasil foi capaz de um autor desses, e esse autor foi capaz de gestar um livro desses, é porque tem jeito.

Não pode deixar de ter.

O – Ora, a lei

Capistrano de Abreu, um dos pais da historiografia nacional, propôs que o artigo primeiro da Constituição brasileira fosse: "Todo brasileiro deve ter vergonha na cara." O gaúcho Ferreira Viana, político do tempo do Império, sugeria: "O Brasil só precisa de uma lei. Uma lei que diga que é preciso cumprir todas as outras." Este é o país das leis que pegam e que não pegam. Pior ainda, é o país das leis que pegam para alguns e não para outros. "Você sabe com quem está falando" é uma voz de comando diante da qual se pode esboroar a mais mandatória das normas. O "jeitinho" é o modo de, pela amizade, pelo pistolão ou pelo apelo emocional, obter favores ao largo da lei e dos bons procedimentos.

Em agosto de 2000, o jornalista Antônio Pimenta Neves, então diretor de redação do jornal *O Estado de S. Paulo*, assassinou a ex-namorada, a jornalista Sandra Gomide. Em março de 2007, Pimenta Neves continuava aguardando, em liberdade, o julgamento definitivo. Em janeiro de 2006, a vendedora Simone Cassiano da Silva, de origem humilde, atirou a filha de dois meses na lagoa da Pampulha, em Belo Horizonte. Em janeiro de 2007, Simone foi condenada a oito anos de prisão, por tentativa de homicídio, motivo torpe e uso de meio cruel. Simone foi mantida detida desde o momento em que, ao se resgatar o bebê, com vida, envolvido num saco plástico, o crime foi descoberto. Pimenta Neves só esteve preso por breves períodos. Para ela a justiça foi expedita e efetiva como deve ser. Para ele, posto a rodar o habitual mecanismo das chicanas, as protelações e os recursos, foi lenta e inoperante como se sabe que é, quando o cliente está entre os credenciados a perguntar se o outro sabe com quem está falando.

Não tem jeito.

P – Patriarca

Se ele tivesse vencido a parada... Para José Bonifácio de Andrada e Silva (1763-1838), o rompimento com Portugal era apenas um primeiro passo. A Independência se completaria com a construção de uma sociedade e de um Estado. Na famosa "Representação" que enviou à Assembléia Constituinte de 1823, propugnou pela imediata abolição do tráfico de escravos ("É preciso que não venham mais a nossos portos milhares e milhares de negros, que morrem abafados nos porões dos nossos navios.") e, vencido um período de transição, a abolição da escravidão ("Se a lei deve defender a propriedade, muito mais deve defender a liberdade pessoal dos homens, que não podem ser propriedade de ninguém."). Pregou a distribuição das terras ociosas dos latifúndios aos ex-escravos.

José Bonifácio foi um brasileiro lúcido, o mais lúcido de seu tempo. Tinha consciência de que com escravidão não se edificaria uma nação. Também tinha consciência dos efeitos da desigualdade: "A maior corrupção se acha onde a maior pobreza está ao lado da maior riqueza." Representava, num ambiente inculto e reacionário, a inteligência do Iluminismo. Como disse Miriam Dolhnikoff, organizadora de uma seleta de seus escritos,[11] ele "oferecia um futuro mais grandioso a uma elite que desejava apenas um presente mais lucrativo". Experimentou não mais que dois anos de poder, entre 1821 e 1823. Daí para a frente sua sina foi a prisão, o exílio e o ostracismo.

A dispensa dos serviços de José Bonifácio ocupa o primeiro lugar de uma longa lista de opções equivocadas, oportunidades perdidas e cruéis golpes da sorte. E se, ainda que 60 anos depois, tivesse vingado a tese de Joaquim Nabuco (1849-1910) de distribuir terra, educação e assistência aos ex-escravos? E se, pulando o golpe de 1964, o filme Brasil continuasse com uma segunda eleição de Juscelino, em 1965? E se Tancredo não nos tivesse aprontado a perfídia de morrer bem naquela hora? Ao sabor do "e se", a história do Brasil flui com racionalidade e grandeza.

Esse país, movido a imaginação, tem jeito.

Q – Quadros

Evitemos "Quadros, Jânio" e fixemo-nos em "quadros" na acepção de "alto funcionário, técnico categorizado ou em nível de direção numa empresa; dirigente, administrador, gerente", como define o *Dicionário Houaiss*. O escritor português Ramalho Ortigão, o parceiro de Eça de Queirós nas *Farpas*, escreveu, a respeito do Brasil de fins do Império:

> "Os primeiros homens brasileiros podem competir com os primeiros de qualquer parte. Os segundos é que estão talvez a uma distância excessiva dos primeiros; ou, para me explicar de outro modo: não há segundos; aos primeiros seguem-se imediatamente os nonos ou os décimos. A média é fraca. Com as senhoras sucede o mesmo."[12]

O inglês George Orwell escreveu que a Inglaterra era "um bom país, com as pessoas erradas no comando" ("*the wrong people in control*"). Se esta é uma questão que abala, ou abalava, a Inglaterra, imagine-se o Brasil. De todo modo, poderíamos até ter bons brasileiros para ocupar os primeiros postos, poderíamos até ter bons segundos, contrariando Ramalho Ortigão, que isso tanto faria. Na quadra que se abriu com a chamada "Nova República" e o governo Sarney, instaurou-se a prática de lotear os cargos do governo entre as mediocridades indicadas pelos diferentes partidos em que se estilhaça o sistema político brasileiro – e quanto mais medíocre melhor, pois mais dócil à ganância dos chefes partidários entre os quais se convencionou seja dividido o butim.

O Brasil não tem jeito.

R – Ronaldos

Jogadores de futebol são o mais bem-acabado e bem-sucedido produto brasileiro de exportação. O país não deve ficar orgulhoso de ter virado um fornecedor para os centros mais desenvolvidos. Acomodamo-nos sem queixa nem remorso ao papel, típico dos países subdesenvolvidos e colonizados, de exportador de matéria-prima. Além disso, com o direcionamento dos melhores talentos para outros centros, tornamos nossos campeonatos menos interessantes e desidratamos o mercado futebolístico interno.

Considerados em si mesmos, no entanto, os artistas da bola são a exceção mais cabal à regra de que, em comparação ao similar de um país desenvolvido, um profissional brasileiro será sempre inferior. Que eles são superiores tecnicamente já se sabe há muito tempo. Também em constituição física e preparo atlético, hoje em dia, se equiparam, quando não superam, os antes temidos brutamontes europeus. São maleáveis culturalmente: aprendem com facilidade idiomas estrangeiros, mesmo quando vêm de famílias humildes – o que é quase sempre o caso –, e adaptam-se a outros costumes.

Constituem-se numa indicação de que a raça brasileira tem jeito.

S – Saúva

"Ou a saúva acaba com o Brasil, ou o Brasil acaba com a saúva", dizia-se já desde que o naturalista francês Auguste de Saint-Hilaire perambulava pelo Brasil, colhendo amostras da flora nativa e registrando os costumes, na primeira metade do século XIX. O visconde de Pedra Branca, diplomata e senador do Império, é autor de um epigrama muito popular à sua época: "São desgraças do Brasil/ Um patriotismo fofo/ Leis em parolas, preguiça/ Ferrugem, formiga e mofo". Macunaíma reiterou que "Muita saúva e pouca saúde os males do Brasil são".

As formigas, e em especial as formigas-cortadeiras, foram responsáveis por um medo que assaltou o país ao longo de boa parte de sua história. A agricultura modernizou-se, e as saúvas deixaram de ser tão ameaçadoras. A economia diversificou-se, e a obsessão com formigas, típica do ambiente rural predominante no país pelo menos durante seus quatro primeiros séculos, evaporou-se. Neste canto, a saúva; neste outro, o Brasil. E quem venceu? Venceu o Brasil!!!! Não é lá vitória que conte muito, mas, enfim...

Enfim, não deixa de ser um sinal de que o Brasil tem jeito.

T – Tarará tchim-bum

Brado retumbante... raios fúlgidos... penhor dessa igualdade... raio vívido... impávido colosso... As palavras soam como fórmulas mágicas, na misteriosa língua que só os mágicos conhecem. Florão da América... terra mais garrida... o lábaro que ostentas... verde-louro dessa flâmula... clava forte... E abracadabra, e sim salabim, e sala katula. Koroko faco alaco bero baco babo, pátria amada, Brasil. E na tonga da milonga do kateretê.

Há trechos que intrigam. A terra desce? Como assim – afunda? Ah, sim, é "à terra desce", conforme se percebe quando se depara com a letra escrita. É o raio vívido que à terra desce, quando o Cruzeiro do Sul resplandece. É isso; ou pelo menos parece que é. Dá um certo medo, o raio que desce, ainda por cima vívido, mesmo considerando que ele vem cheio de amor e esperança. Um filho teu não foge à luta nem teme quem te adora a própria morte. Ele não teme quem adoraria que ele morresse ou, dado que ele te adora, não teme a morte? Ah, sim: o "quem te adora" vem entre vírgulas. "Não teme, quem te adora, a própria morte." Prevalece, então, a segunda opção. (Nada como investigar o hino por escrito, numa versão confiável – mas quem o faz?)

É como quando a missa era em latim, e o mistério das palavras realçava a inalcançável altura das regiões do sagrado. *Dominus vobiscum... Gloria in excelsis... Kyrie eleison... Ite, missa est...* (E os engraçadinhos repicavam: "*Coca-Cola is the best.*") Não importa. Embalado pela empolgante música de Francisco Manuel da Silva, o Hino Nacional é um sucesso. Serve tanto para a afirmação da nacionalidade em cerimônias militares como para o grito de protesto de grevistas em rebelião. No regime militar, tanto era entoado pelos poderosos do momento quanto pela oposição. "Não é outra coisa que se pede de um símbolo nacional: a capacidade de traduzir o sentimento coletivo, de expressar a emoção cívica dos membros de uma comunidade nacional", escreveu o historiador José Murilo de Carvalho.[13] O momento supremo do Hino Nacional ocorre nos campeonatos mundiais de futebol. Os jogadores, perfilados, murmuram aquelas palavras cabalísticas, e a nação se arrepia, elevada nos sentimentos de unidade e pertencimento.

O Brasil tem jeito.

U – Unanimidades

O Brasil cumpre a última década do século XX e a primeira do XXI politicamente bloqueado por forças que se neutralizam. Há uma virtual unanimidade em torno da agenda a cumprir. Curioso: quando há unanimidade, aí que não se faz mesmo. Exemplos:

– Reforma política. Poucos discordam de que precisa ser feita. A eleição para o Legislativo, no atual sistema, contribui, a cada legislatura, para o sistema representativo descer mais um degrau no rumo da desmoralização. Por isso mesmo – pelo fato de todo mundo estar de acordo – não se faz.

– Educação. Não há político que não a aponte como a prioridade das prioridades. Todos de acordo? Então relaxemos.

– Segurança pública. Clama aos céus que a criminalidade galopante sangra, onera e inviabiliza o país. Recursos e energias deveriam ser canalizados maciçamente para o setor, segundo unânime entendimento. Unânime entendimento? Aí é que vence, indômito e invicto, o imobilismo.

O Brasil da virada do século traduz-se na colagem de interesses que não formam um todo coerente.

Não tem jeito.

V – Verde-amarelo

O verde das penas de nossos psitacídeos, o amarelo da casca de nossas bananas, o azul do santo manto da padroeira Aparecida e do surrão do beato Antônio Conselheiro, o branco da página que aguarda ser preenchida pelas glórias deste predestinado país. Lamentável ausência – não custava, bastava um pontinho, num canto qualquer – é o negro da jabuticaba. Mas o que realmente surpreende, intriga e intimida é o dístico "Ordem e Progresso". Não pela razão que, à época da adoção da bandeira, em seguida à Proclamação da República, tanta polêmica causou – o fato de ter origem numa "seita religiosa", ou seja, na doutrina positivista. O problema é a sobrecarga implícita naquelas duas solenes palavras. Garantir a ordem e, ainda por cima, propiciar o progresso. É muita responsabilidade.

E uma das razões pelas quais o Brasil não tem jeito.

X – Xis da questão

"O azar do Brasil foi ter sido descoberto por um estrangeiro" (Max Nunes). "Há em nosso povo duas constantes que nos induzem a sustentar que o Brasil é o único país brasileiro de todo o mundo. Brasileiro até demais. Colunas da brasilidade, as duas constantes são: a capacidade de dar um jeito; a capacidade de adiar" (Paulo Mendes Campos). "O Brasil sempre foi a casa-da-mãe joana de elites sub-reptícias que fazem o que querem" (Paulo Francis). "Brasil, país do faturo" (Millôr Fernandes). O Brasil é realmente muito amplo e luxuoso. O serviço é que é péssimo" (Idem).[14]

Não tem jeito.

Z – Zé Carioca

O bichinho produzido nos estúdios de Walt Disney consolidou a condição do papagaio como símbolo da nacionalidade. O Zé Carioca dos dois filmes produzidos em Hollywood nos anos 1940 (*Alô amigos* e *Você já foi à Bahia?*), como parte da política de boa vizinhança com que os Estados Unidos procuravam cativar os vizinhos latino-americanos no momento decisivo da Segunda Guerra Mundial, é um tipo simpático, afetuoso, algo folgazão. Nas revistinhas depois produzidas no Brasil, evoluiu de folgazão a malandro. Virou "o terror dos credores".

O papagaio de verdade – o *Amazona aestiva* que até tem penas amarelas alternando-se com as verdes, de tão brasileiro – distingue-se pela capacidade de imitar a voz humana. Como é que ele consegue? Os papagaios possuem uma siringe, o órgão vocal dos pássaros, dotada de considerável complexidade. Mas isso não explica tudo. O sabiá também tem uma siringe complexa. A esse equipamento biológico é preciso acrescentar outros fatores – a atenção, a capacidade de aprendizado. São qualidades que indicam inteligência. Numa obra clássica da zoologia brasileira, o *Dicionário dos animais do Brasil*, de 1949, Rodolpho von Ihering escreve: "Não se pode concluir dizendo que formem os papagaios o grupo de aves mais bem aquinhoado de todos quanto aos dotes úteis para a vitória da luta pela vida, mas pouco lhes falta para tanto."[15]

Se os papagaios são isso, e se os brasileiros têm neles sua tradução ornitológica, o Brasil tem jeito.

Notas

1. ANDRADE, Mário de. *Poesias completas*, São Paulo, Martins, 1955, p.157-8.
2. CUNHA, Euclides da. *Os sertões*, São Paulo, Brasiliense, 1985, p.92.
3. ZWEIG, Stefan. *O momento supremo* e *Brasil, país do futuro*, em *Obras completas de Stefan Zweig*, Rio de Janeiro, Delta, s.d., p.8-9.
4. DINES, Alberto. *Morte no paraíso – a tragédia de Stefan Zweig*, Rio de Janeiro, Rocco, 2004, p.370.
5. NOGUEIRA, Almeida. *Tradições e reminiscências da Academia de São Paulo*, São Paulo, Arcadas, 1953, vol.1, p.27.
6. FURTADO, Celso. *A fantasia organizada*, Rio de Janeiro, Paz e Terra, 1985, p.56.
7. BRAGA, Rubem. *Ai de ti, Copacabana!* Rio de Janeiro, Editora do Autor, 1960, p.51-2.

8. PRADO, Paulo *Retrato do Brasil*, São Paulo, Companhia das Letras, 1997, p.73-9, 139.

9. SALVADOR, frei Vicente do. *História do Brasil*, Belo Horizonte, Itatiaia, São Paulo, USP, 1982, p.57.

10. Entrevista de Guimarães Rosa a Günter Lorenz; in *Cadernos de Literatura Brasileira*, Instituto Moreira Salles, dezembro de 2006.

11. ANDRADA E SILVA, José Bonifácio de. *Projetos para o Brasil*. Organização de Miriam Dolhnikoff. São Paulo, Companhia das Letras, 1998.

12. Carta a Eduardo Prado. In MORSE, Richard. *Da comunidade à metrópole*, São Paulo, Comissão do IV Centenário, 1953, p.205.

13. CARVALHO, Murilo de. *A formação das almas*, São Paulo, Companhia das Letras, 1990, p.127.

14. NUNES, Max. *Uma pulga na camisola*, São Paulo, Companhia das Letras, 1996, p.50; MENDES CAMPOS, Paulo. *O colunista do morro*, Rio de Janeiro, Editora do Autor, 1965, p.88; FRANCIS, Paulo. *Waaal – o diário da corte*, São Paulo, Companhia das Letras, 1996, p.xx; FERNANDES, Millôr. *Millôr definitivo*, Porto Alegre, L&PM Editores, 1994, p.55-6.

15. Rodolpho von Ihering, *Dicionário dos Animais do Brasil*, Rio de Janeiro, Difel, 2002, p.370.